あなたを陰謀論者にする言葉

雨宮 純 著
Jun Amamiya

Forest
2545
Shinsyo

まえがき

自然派でスピリチュアルなヒーラーかつ陰謀論者で、さらにはマルチ商法の販売員

2021年1月某日に世界中すべてのメディア、インターネット、電話、テレビ番組がシャットダウンされ、トランプ大統領のメッセージに切り替わります。この放送は1日8時間を3回、10日間ほど放送され、人身売買をはじめとした闇の勢力の悪事や新しい金融システム、地球外生命体とのコンタクト情報などが暴露されます。一説には東京を戦車が走ると言われています。この刺激的な放送に備えポップコーンを用意しましょう。

この著者は冒頭から一体何を言っているのか、と思われたことでしょう。

初見の方にはまったく意味がわからないと思いますが、この怪文の正体は「世界緊急放送」というもので、Qアノンと呼ばれる陰謀論者の間で定期的に出回るものです（Qア

ノンについては本文中で説明します）。闇の勢力が隠している種々の情報を正義の味方であるトランプ元米国大統領が暴露し、陰謀論者こそが真実を知っていたことが証明されるというわけです。

まるで映画かアニメのワンシーンのようですが（特に東京を戦車が走る部分は「機動警察パトレイバー」の劇場版第2作を彷彿とさせます）、陰謀論者はこれを真面目に信じており、数カ月に一度陰謀論インフルエンサーから緊急放送の日付が予言されると、一気にTwitterのタイムラインが待望のツイートで埋まります。

さて、私がこの文章をまとまった形で見たのはあるウェブサイトに掲載されていたものでしたが、これがどのようなサイトだったか想像してみてください。多くの人は支離滅裂な怪文書が並ぶブログや、都市伝説をまとめたようなサイトを思い浮かべるのではないでしょうか。

ところが、私がこれを発見したのは「ヒーラーのウェブサイトに組み込まれたブログ」でした。

ヒーラーというのはオーラソーマ（カラーセラピー）やアロマセラピー、スピリチュアル・ヒーリングといったセラピーで癒《いや》しを与える人たちで、スピリチュアルの一部に位置づけられます。

さらにサイトを調べたところ、このヒーラーがアロマセラピーを行っている写真が出てきたのですが、そこに写っていたのは、マルチ商法について調べている筆者には見慣れたエッセンシャルオイルのボトルでした。健康被害や不誠実な勧誘も報告されている、米国発のとあるマルチ商法企業の製品だったのです。

この人物は他にも新型コロナワクチンの危険性を必要以上に訴える自然派な傾向があるとともに、「ワクチンはビル・ゲイツによる人口削減計画の一環」という陰謀論も主張していました。

つまりこの人物は、**自然派でスピリチュアルなヒーラーかつ陰謀論者で、さらにはマルチ商法の販売員だった**わけです。

癒し系や自然派なイメージのあるスピリチュアルと、見るからに怪しい陰謀論、そしてビジネスの一形態であるマルチ商法には一見関係がないように見えます。

ところが、日々陰謀論やマルチ商法の界隈《かいわい》を見ていると、これらを同時に支持している人物は珍しくありません。

さらに例を挙げると、私にはマルチ商法販売員の知人女性がいるのですが、新型コロナウイルス感染症が流行しはじめてからしばらく経ったある日、彼女のFacebookを見てみると、「コロナはただの風邪」と主張する陰謀論インフルエンサーの集会に参加した写真をうれしそうにアップロードしていました。彼女はまた、スピリチュアルなヒーラーやセラピストとの会合写真を投稿しながら、「日々わくわくしていれば自己治癒力が高まりワクチンは不要になる」と主張する、反ワクチン主義者でした。

スピリチュアルと陰謀論とマルチ商法――。

陰謀論やマルチ商法には身構える方も、「癒し」や「自然」を掲げるスピリチュアルには安全なイメージを持つのではないでしょうか。

ところが、右記のようにこれらは重なっており、米国でもヨガやスピリチュアルのインフルエンサーが陰謀論を投稿し、Qアノンの入り口となっていたことが指摘されています。

こうしたことを知らなければ、癒しを求めてスピリチュアルに向かった結果、Qアノンや反ワクチン陰謀論者になり、気づけばマルチ商法に取り込まれていた、ということにもなりかねません。

普段から陰謀論やマルチ商法について調べている方は少数派でしょうから、ほとんどの方にはこれらの関係がピンとこないと思います。また、それぞれをばらばらに追いかけていても、なかなか関係は見えてきません。

しかし、ある補助線を引くことでこれらの関係が明らかになるのです。

それは戦後米国のカウンターカルチャーを前身とし、神智学《しんちがく》やスピリチュアリズム（心霊主義）といった宗教的な思想を取り込んで成立した「ニューエイジ」が日本に持ち込まれ、現在のスピリチュアルに至る一連の潮流です。この潮流を辿ると、ヨガや瞑想、オーガニックに民間療法、自己啓発とマルチ商法、そしてＵＦＯや陰謀論といった、ここまで挙げてきたものが次々と現れてきます。

私はたまたま元オカルト少年（「ノストラダムスの大予言」が外れたため懐疑派に転向）で、マルチ商法や自己啓発セミナーにも関心があったことから、この潮流について調べ、発信していたところ、本書を著す機会をいただきました。

本書では、右記の潮流を辿りながら、関連のある人名や事件名、固有名詞や、その周辺用語についても解説していきます。

たとえば、「チャネリング」や「爬《は》虫《ちゅう》類《るい》型《がた》宇宙人」などの「いかにも」な言葉もあれば、「スティーブ・ジョブズ」「安倍昭恵」といった超有名人、「癒し」や「ボードゲーム」「シュタイナー教育」という、およそ関連なさそうな言葉も多数含まれています。これらの言葉を見出しの代わりに、関連がある各項に「タグ」として、できるだけ記載しました。

じつは、これらの聞いたこともない言葉、あるいは普段自然に見聞きし、使っている言葉が、不幸への入り口になることを、あなたはイメージできるでしょうか。

たとえば、信頼している知人から「ボードゲームをやろう」と言われてついていったことがきっかけで、マルチ商法にのめり込むことになるかもしれません。あるいは、「あのジョブズもそうだったんだよ」と絶対菜食主義をすすめられたことがきっかけで、がんを民間療法で治そうとするかもしれません。

もちろん、一概にそれを悪いとは言いません。

しかし、こうした世界にまったく免疫がない状態で足を踏み入れたことで、自身はもとより家族や友人などの周囲の大切な人を不幸にしたり、陰謀論者が語るところの「闇の勢力」と闘う〝目覚めた人〟として一生を過ごすことになってしまう可能性があるとしたらどうでしょう。

まだこの段階では、「お前は何を言っているんだ?」と思う読者もいることでしょう。しかし、本書を読み進めていただければ、きっとその意味をご理解いただけるはずです。

そして同時に、「虫の知らせ」と言いますか、良からぬ人や集団、思想へ対する危機察知能力、すなわち「あ、これは怪しいな」とピンとくる感度を高められるはずです。それこそが、本書が目指していることなのです。

それでは、怪しくも独特の魅力を放つ、スピリチュアルな潮流を辿っていきましょう。

陰謀論に至るまでの近現代史裏クロニクル

ヒッピー
コミューン
オーガニック
菜食主義
自然派
LSD
ティモシー・リアリー
ビートルズ
チャールズ・マンソン
スチュアート・ブランド
スティーブ・ジョブズ

カウンターカルチャー

精神変容・霊的部分が発展

ニューエイジ

ラジニーシ
超越瞑想
マヤ暦
UFOコンタクティ
マクロビオティック

代替医療

カイロプラクティック
ホメオパシー
レイキ

人間性回復運動
エサレン研究所

先駆となった思想

心霊主義
神智学
人智学

セルヴェトゥス
スウェーデンボルグ
メスメル

ニューソート

フィニアス・クインビー
メリー・ベーカー・エディ

ニューソートから生まれた自己啓発

自己啓発・マルチ商法

ナポレオン・ヒル
ジョセフ・マーフィー
ノーマン・ヴィンセント・ピール

引き寄せ
スピ量子力学
マルチ商法
コーチング

自己啓発セミナー

ライフダイナミクス
ライフスペース事件
TOSHI洗脳事件

引き寄せ系の人物にQアノンが存在

ユダヤ陰謀論と関係の深い神智学はナチスにも影響を与えた

政府や大企業を嫌う自然派の傾向から陰謀論に走る人も

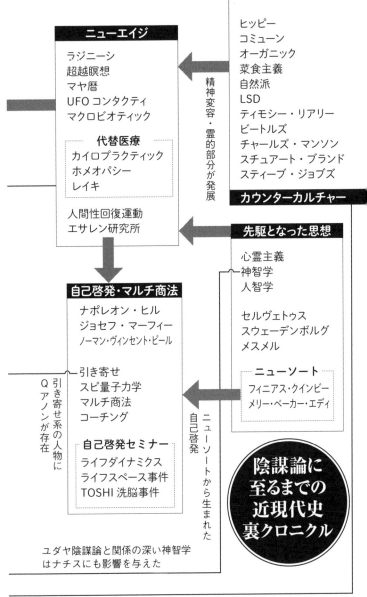

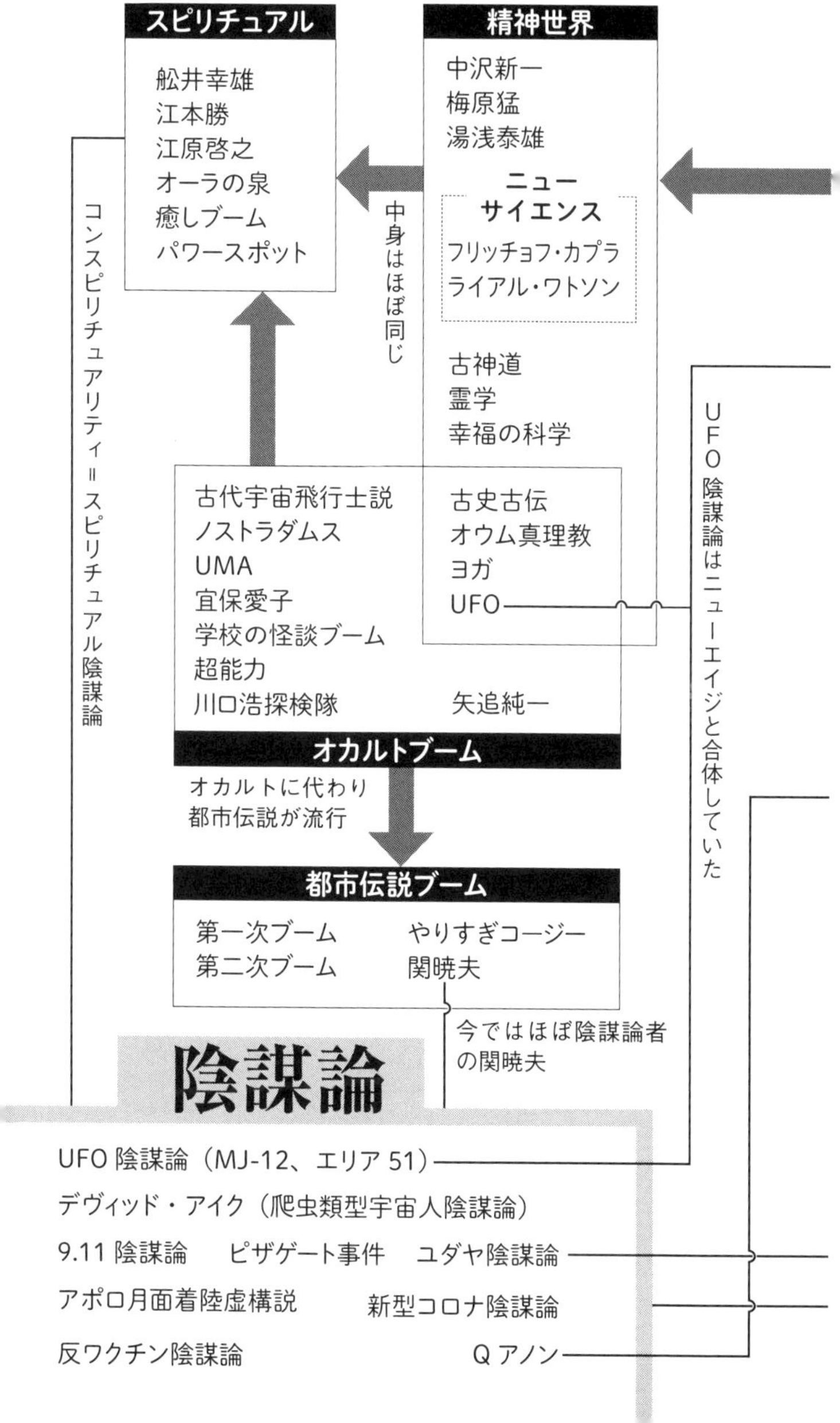
スピリチュアル
舩井幸雄
江本勝
江原啓之
オーラの泉
癒しブーム
パワースポット
精神世界
中沢新一
梅原猛
湯浅泰雄
ニューサイエンス
フリッチョフ・カプラ
ライアル・ワトソン
古神道
霊学
幸福の科学
中身はほぼ同じ
コンスピリチュアリティ＝スピリチュアル陰謀論
古代宇宙飛行士説
ノストラダムス
UMA
宜保愛子
学校の怪談ブーム
超能力
川口浩探検隊
古史古伝
オウム真理教
ヨガ
UFO
矢追純一
オカルトブーム
UFO陰謀論はニューエイジと合体していた
オカルトに代わり
都市伝説が流行
都市伝説ブーム
第一次ブーム
第二次ブーム
やりすぎコージー
関暁夫
今ではほぼ陰謀論者の関暁夫
陰謀論
UFO陰謀論（MJ-12、エリア51）
デヴィッド・アイク（爬虫類型宇宙人陰謀論）
9.11陰謀論
ピザゲート事件
ユダヤ陰謀論
アポロ月面着陸虚構説
新型コロナ陰謀論
反ワクチン陰謀論
Qアノン

【凡例】 本書で頻出する以下の言葉と、その定義について。

スピリチュアリズム：フォックス姉妹（↓55ページ）に端を発する、不滅の霊魂との交流を扱う心霊主義。

スピリチュアル：スピリチュアリズムや神智学からニューエイジ、精神世界から今日まで受け継がれてきた「目には見えない世界、力や全体論」を扱う思想・実践群。

スピリチュアルな、霊的な：目には見えない世界、現世を超越した世界と関係している様子（日本語で「霊」というと幽霊を想像してしまいますが、ここでの霊は「スピリット」であり、ネガティブなニュアンスはありません）。

スピリチュアリティ、霊性：目には見えない世界や存在、またそうした存在との繋がりのこと。

自己啓発：個人の考え方や行動を変えることで自己実現や幸福を手に入れようとする取り組み。

自己啓発セミナー：閉鎖空間において多人数で行われ、精神的・肉体的に負荷のかかる講習やワークを通じて、精神的な成長やコミュニケーション能力の向上を目指すセミナー（現在では「自己啓発セミナー」にも多種多様な形式が含まれますが、本書ではこの形態のセミナーを指す用語とします）。

あなたを陰謀論者にする言葉――もくじ

第10章 我々の日常に侵食してきた陰謀論

装丁　山之口正和＋沢田幸平（ＯＫＩＫＡＴＡ）
図版作成　富永三紗子
本文デザイン・ＤＴＰ・チャート図作成　フォレスト出版編集部

I

カウンターカルチャーとニューエイジ

第1章 カウンターカルチャーとヒッピー

この本ではまず、1960年代の米国で本格展開されたカウンターカルチャーについて見ていきます。

戦後の米国は持続的な経済成長を達成し、経済的に豊かな社会を実現しました。「郊外の父」と呼ばれる不動産開発業者、ウィリアム・レヴィットが生み出した住宅の大量生産方式は、中流階級でも郊外に一戸建てを持つことを可能にし、その駐車場には同じく大量生産された自動車が停められました。さらに電子レンジや冷蔵庫、洗濯機にテレビと、便利な家電が急速に普及し、ここでも大量生産された製品が家庭に並ぶこととなりました。

好景気は子息を大学に通わせることも可能にし、ベビーブーマーが大勢大学へと進学しました。

1965年には高校卒業者の約半分が大学に入学するまでになった結果、急増する学

レヴィットタウン。同じような家が並ぶ。

生に大学側の対応は追いつかず、講義室に400人、500人の学生を収容するのが当たり前になっていました。

まさに大量生産・大量消費社会です。

このような豊かさや進学率の上昇は、安定した生活や衣食住の充実、家族の形成を重視した親世代とは異なった視点で社会を見る若者たちを生みました。彼らが生み出したのが保守的な価値観や既成権力、近代国家に対抗するカウンターカルチャーでした。

それはたとえば、ロックであり公民権運動であり、反戦運動であり新左翼であり、環境保護運動であり、フェミニズムであり、LSDであり、大麻であり、オーガニックでした。

このうち公民権運動や反戦運動（特にベトナム反戦運動）は一般的にも歴史の1ページとして取り上げられることが多く、また当時のロックバンドで最も有名なビートルズも音楽の教科書に掲載されるまでになっています。

一方で、本書のテーマであるスピリチュアルや精神変容に関わるもの、特にLSDや大麻といったドラッグに関わるものや、ヨガや瞑想といった東洋の修行法（第3章で詳述）について語られることはほとんどありません。

しかし、この後見ていきますが、ビートルズがLSDの教祖と呼ばれるティモシー・リアリーのために曲をつくっていたり、アップル創業者のスティーブ・ジョブズがグル（導師）を求めてインドに向かっていたりと、**誰もが知っている有名人もこの「怪しげ」な部分と深く関わっており、当時の文化やその後の影響を考えるためには欠かすことのできない**ものなのです。

ここからは普段無視されがちな怪しい文化について見ていきます。

思想共同体が生み出した現代に通じる文化

⊗ヒッピー

カウンターカルチャーは急増した高学歴な若者に浸透し、とある独特の思想とライフスタイルを持つ人々を生みました。ヒッピーです。

その典型的なイメージは、髪型はボヘミアンスタイルのロングヘアで、服は極彩色のシャツやネイティブアメリカンを思わせる革のベスト、ベルボトムのジーンズを穿《は》いて、やたらとアクセサリーを着けているというものです。

アニメ「サウスパーク」にヒッピーで街が埋め尽くされる回があったり（登場人物である保守的なカートマンにとってヒッピーは不倶戴天の敵です）、映画「図鑑に載ってない虫」で松尾スズキがヒッピー風の友人を演じていたりと、時折映像作品にヒッピー風のキャラクターが登場することがあるため、ヒッピーについてあまり知らない方にもイメージは通じるかもしれません。

彼らはロックフェスで踊り狂い、ＬＳＤや大麻で精神変容を味わい、ヨガや瞑想に触れて東洋の神秘に心ときめかせ（これにはキリスト教への反発もありました）、自然農法や菜食主義で環境に気を使い、公民権運動や反戦運動に参加して愛と平和を訴えました。

⊗ロックフェス／ドラッグ

この後は触れることがなくなるのでロックフェスについて少し解説しておきましょう。

そのルーツの1つと言われるモンタレー・ポップ・フェスティバルは１９６７年6月に行われました。この年の夏はサンフランシスコに10万人ものヒッピーが集結してサマー・オブ・ラブ[1]という社会現象を引き起こし、その存在を世間に知らしめました。

この2年後には参加者数40万人以上とも言われる伝説のイベント、ウッドストック・フェスティバルが開かれます。

大麻を吸って音楽に耽溺《たんでき》し、遠い異国を夢見ているというと、単なる遊び人に見えてしまう方もいるかもしれませんが、**ヒッピーの多くはそれなりに豊かな環境で育った高学歴な若者であり、先ほど見た雑多な項目の裏には、より良い世界を目指す彼らなりのポリシーがありました。**

1969 年、ウッドストック・フェスティバルのオープニング
スピーチを行うヨガのグル、
スワミ・サッチダナンダ（1914 － 2002 年）。

公民権運動や反戦運動、環境保護運動はもちろん、ドラッグによる精神変容は社会に抑圧された個人を解き放つことでの社会変革を狙い、東洋への憧憬は西洋社会・物質文明に対しての東洋社会・精神文明を受け入れることによる社会の見直しを試みたものでした。

また、ロックは自由や平和を歌う他、ロックフェスという特殊な空間を生み出したり、黒人でありながら白人のスターとなったジミ・ヘンドリクスや、女性ロックシンガーとして活躍したジャニス・ジョプリンなど、人種や性別を超える志向を持つものでした。

ＬＳＤと大麻を除けば、ヒッピー文化は現在でもおおむね肯定的に受け入れられて存続しており、ヒッピー自体は見られなくなったものの、その遺産が身近なところにまで影響を与えているのがわかります。

デパートやスーパーに行けばオーガニックや無添加を謳《うた》う食材が売られていますし、ヨガはエクササイズとして定着し、多くの教室が存在しています。さらに、瞑想は仕事のパフォーマンス向上やストレスマネジメントを目的としてシリコンバレー企業で取り入れられたことから、日本の企業も注目していますし（第4章で説明しますが、似たような現象は70～80年代にもありました）、ロックフェスを楽しみにしている方も多いでしょう。

⊗コミューン／アーミッシュ／モルモン教／ユタ州

そんなヒッピーたちが暮らしていたのがコミューンでした。

主流社会とは違った生活を求めた彼らは都市や住宅地から離れ、自分たちの理想を実現するための集落で共同生活を始めました。

このような思想共同体はヒッピーの他にもアーミッシュやモルモン教といった宗教共同体がよく知られています。

アーミッシュというのはハリソン・フォード主演の映画「刑事ジョン・ブック　目撃者」

にも登場する、18世紀頃のスイス・ドイツの生活様式で暮らしている人々です。彼らは電気を使わず、主な移動手段は馬車です。米国やカナダの「電気も自動車も使わない人々」について聞いたことのある人も多いと思いますが、彼らは16世紀オランダのメノー・シモンズを中心として形成された宗教改革急進派、メノナイト派から分派したキリスト教の一派です（メノナイト派もまた昔の様式で生活を送っています）。

また、モルモン教は正式名称を「末日聖徒《まつじつせいと》イエス・キリスト教会」といい、モルモン書を聖典としていることからこう呼ばれます。これは設立者であるジョセフ・スミス・ジュニアが19世紀に掘り出した、黄金の板の聖文を翻訳したものとされています。

彼らは設立時から何度も弾圧され、ミズーリ州インディペンデンスやイリノイ州ノーヴーといった場所への移住を繰り返し、最後は当時未開の荒野だったユタへと移り住みました。モルモン教徒はここでも弾圧され、ブキャナン大統領やリンカーン大統領に軍隊を派遣され、さらにはモルモン教で採用されていた一夫多妻制実践者の公民権を停止する、エドモンド・タッカー法を制定されてしまいます。

一夫多妻制は政府がモルモン教を弾圧する最大の理由であり、ここで彼らはその放棄を選びます。

モルモン教が政府の意向を受け入れる態度を見せた結果、ユタは州へと昇格しました。今では州全体がモルモン教の聖地として知られ、さらには大統領候補を輩出するほどの（2012年大統領戦におけるミット・ロムニーがそれです）力を持つようになっています。**宗教共同体が国家に順応した例**と言えます。

また、**ユタ州は大手マルチ商法企業の本社が集結するネットワークビジネスの本場**として知られており、この点でも本書と関係のある土地と言えます。

その他、本書でこの後取り上げるラジニーシ（↓85ページ）やアダムスキー（↓94ページ）も共同体を形成していた人物です。

1　1967年の夏に起こった、大勢のヒッピーがサンフランシスコのヘイト・アシュベリーに押し寄せた社会現象。カウンターカルチャーの頂点とも言われる。

ヒッピーの富裕層への「転向」、そして現代の消費社会

話をヒッピーに戻します。人里離れた荒野を支持者から譲り受け、あるいは耕作放棄地を格安で購入したヒッピーは、簡素な家で多くのものを共有する慎ましい生活を送っていました。

⊗無農薬・有機農法／スローフード

質素な生活を送るにしても、人々が生きていくためにはまず食料が必要です。そこで彼らが採用したのが無農薬・有機農法でした。この有機農法で栽培された食品が、現在も自然派で健康的なイメージを訴えるために表示されるオーガニック食品や有機食品です。

日本では日本農林規格（JAS）に有機食品についての規定（有機JAS）があり、この認証を通った場合にのみ有機やオーガニックといった表示をすることができます。農林水産省は、有機JASについて、「農薬や化学肥料などの化学物質に頼らないことを基本として自然界の力で生産された食品を表す」としています。

米国では1910年代に近代的農業が確立していましたが、戦後はトラクターやコンバインといった農業機械の普及、DDTやマラチオンといった農薬や化学肥料の使用量増加という農業技術の革新が起こり、飛躍的な生産性向上が見られていました。こうして生産された農作物は巨大化した食品メーカーによって加工され、急速に発展したスーパーマーケットはそれを大量に仕入れ、販売しました。巨大なスーパーマーケットの棚に、添加物を加えられ、プラスチックで包装された加工食品が大量に並ぶ状況が出来上がっていたのです。

主流社会に対抗したヒッピーが有機農法に挑戦したのは当然の流れでした。彼らはオーガニック食品や料理で主に3つの対立軸を訴えました。

自然なものとプラスチック的なもの（**natural vs plastic**）**、ブラウンとホワイト**（**brown vs white**）**、スローフードとファストフード**（**slow foods vs fast foods**）です。もちろん良いとされるのは自然でブラウンな（精製していない）スローフードです。これは現在の自然食でも見られる考え方ですね。

1965年、ベトナム戦争で、
ナパーム弾を投下するアメリカ軍。

⊗『沈黙の春』／ベトナム戦争／農薬／化学肥料

ヒッピーが有機農法に挑戦した背景には、当時の環境保護意識やエコロジー運動の高まりもありました。

そのきっかけの1つとして知られているのが、1962年に海洋生物学者のレイチェル・カーソンによって発表された『沈黙の春』（邦訳版は1974年新潮文庫より刊行）です。この本の中でカーソンは、DDTを代表とする合成殺虫剤・農薬の生物濃縮や生態系への影響を訴え、世界中に衝撃を与えました。

また、ベトナム戦争では大手化学企業によってつくられた枯葉剤やナパーム弾が森林に大量投下され、「工業先進国によって破壊される途上国の森林」というイメージが人々の脳裏に焼きつけられました。

こうした状況からヒッピーは農薬や化学肥料を忌避したわけですが、その多くが人文系や社会科学系の専攻でした。農学の知識や農業経験がほとんどなかったヒッピーにとっては農業自体を成功させるのが難しく、プロの農家にとっても難しい有機農法で大勢の食料を確保することなど不可能でした。

彼らが有機農法に興味を持ったのは「思想」としてであり、実際の「農業・農法」としてではなかったのです。

⊗菜食主義／ベジタリアン／ヴィーガン

食料の生産では自然農法が採用されましたが、消費で採用されたのが菜食主義でした。菜食主義自体には長い歴史があり、宗派によりますが仏教やヒンドゥー教、ジャイナ教といったインドの宗教が取り入れていたことから東洋をイメージさせます。さらに畜産には多量の飼料を必要とし、飼料の栽培には化学肥料が必要なことから環境保護の実践としても取り入れられました。

菜食主義者・ベジタリアンの中にも卵や乳製品の扱いや思想の異なるさまざまな集団が存在し、その中の1つが近年よく聞かれるようになったヴィーガン（絶対菜食主義者）です。また、肉食を控えるマクロビオティック（↓107ページ）もヒッピー向けに普及しました。

⊗オーガニック／ホールフーズ・マーケット／環境保護

一時は盛り上がりを見せたコミューンですが、一軒家の個室で育った人間にとっては慣れない共同生活や、上下関係のない集団における意思決定の問題、生まれた子どものためには医療保険や安定収入が必要であること、地元住民とのトラブルといった課題が山積し、ほとんどは長続きしませんでした。

しかしながら、コミューンを去ったヒッピーの多くは高学歴な専門職として主流社会へ復帰し、一般社会の一員として働きながらもオーガニック食品や環境保護への関心を持ち続け、そこでの定着に貢献しました（これは日本の学生運動世代を想起させます）。

結果、**オーガニックはむしろ高収入層が取り入れるものとなりました。社会的弱者や経済格差を目の当たりにした若者たちが担ったカウンターカルチャーが、経済的に裕福な人々によって消費される**状況はやや皮肉な結果にも見えます。

ホールフーズ・マーケットの外観。

　また、コミューンで過ごしたヒッピーの一部からはオーガニック食材を普及させるレストランやスーパーの経営者になる人々も現れました。たとえば、テキサス大学在学中にベジタリアン・コミューンで過ごしたジョン・マッキーとその恋人レニー・ローソンが70年代に開店した自然食品店セイファー・ウェイが発展したのが、2017年にアマゾンが買収したオーガニックスーパーチェーン、ホールフーズ・マーケットです。

　このように、環境保護に気を使うことや自然な食品を手に取ることは、ヒッピーたちがメインストリームに復帰した後も関心を持ち続けたために、現代では至極当然の考え方として受け入れられており、「カウンター」には見えなくなっています。

しかし、これにも程度問題というものがあります。

私がＳＮＳで、農薬や添加物について忌避を超えて攻撃するアカウントを見たときに一抹の不安を覚えてしまうのも、その裏に政府や大企業を無条件で悪者と判断する傾向や、添加物や化学物質を嫌うあまり、反科学や反医療（特に最近問題視されているのが反ワクチンです）に走る傾向が垣間見《かいまみ》えるためです。

この発想は「大きな存在が大衆には見えないところで悪事を働いている」と考える陰謀論と相性が良く、実際に陰謀論者のタイムラインを追うと、添加物やワクチンを毒と表現するようなツイートがしばしば見られます。

これについては第10章で触れることになるでしょう。

現代では許容されなくなったヒッピー文化の代表格

⊗LSD／MKウルトラ計画

エコロジーやオーガニックが今の社会に受け入れられている一方で、当時のカウンターカルチャーには現在でもほぼ許容されない要素もありました。その代表格が、LSDをはじめとしたドラッグの使用です。ここに来ると一気に「カウンター」感が増します。

ドラッグというと快楽目的のイメージが強いのですが、ヒッピーに好まれたのは幻覚や神秘体験をもたらすLSDであり、一応は単なる快楽を超えた目的がありました。常軌を逸した精神状態をもたらす幻覚剤による精神の解放と、それを経験した人たちが起こす社会の改革です。

LSDとはリゼルグ酸ジエチルアミド（lysergic acid diethylamide）の略称です。リゼルグ酸は麦角《ばっかく》という、麦の穂にできる黒い塊（麦角菌の感染により引き起こされる穀物の病気）に含まれる成分です。麦角の付いた麦を食べると中毒を起こし、血管の収縮や幻覚が生じます。

LSDの生みの親、アルバート・ホフマン（1906－2008年）。

このうち、特に血管を収縮させる性質が薬に使えるのではないかと期待され、有効成分の分離や合成の研究が行われていました。

こうした研究の中で、サンドウズ社の化学者アルバート・ホフマンが１９３８年に合成したのがＬＳＤです。

ＬＳＤが合成された当初はその幻覚作用について知られていませんでしたが、１９４３年にホフマン自身がたまたまＬＳＤを摂取してしまい、目眩《めまい》と幻覚を経験します。彼はその後、意図的に０・25㎎のＬＳＤを摂取する自己実験を行い、音に応じて変化する極彩色の幻覚や多幸感、トリップ後の爽快感を経験しました。

ＬＳＤはその後、１９４７年にサンドウズ社から精神治療薬として発売されます。ＬＳＤが非合法化されはじめるのは１９６６年からで、それまではあくまで医薬品の１つでした。米国では、この頃すでに精神科医によるカウンセリングや投薬の普及が始まっており、「薬剤を使って精神をコントロールする」という点でヒッピーと一般社会の間にそれほどの断絶はありませんでした。

さらには、一般市民を含む被験者に事前説明なく長期間ＬＳＤを投与して精神への影響を観察したり、ＬＳＤを服用させた状態で尋問して効果を確かめるＭＫウルトラ計画[1]が１９５０年代からＣＩＡによって行われており、これは「本当にあった陰謀」として陰謀論者たちにインスピレーションを与え続けています。

このように、陰謀論には稀に「本物」が存在するため頭から否定することはできないのですが（この他に知られる例としてはトンキン湾事件[2]があります）、とはいえ現在ＳＮＳで見られる陰謀論は「米国国境に突如として25万人の中国人民解放軍が登場し、米国に侵攻しようとしているが、主流メディアは隠蔽《いんぺい》している」といったあまりに荒唐無稽なものです。

⊗「Turn on, Tune in, Drop out」／ドラッグ／LSD／潜在能力

ＬＳＤをヒッピーに広めたのは、西海岸では小説『カッコーの巣の上で』（邦訳版は１９９６年に冨山房より刊行）で知られる作家ケン・キージー、東海岸では元ハーバード大学教授の心理学者ティモシー・リアリーでした。キージーはメリー・プランクスターズと呼ばれる仲間たちと、極彩色にペイントしたバスでニューヨークの万博へと向かう

ＬＳＤ漬けの旅を行い、この逸話がヒッピーの尊敬を集めることとなりました。

そして本書で特に注目したいのが、東海岸のＬＳＤ教祖、ティモシー・リアリーです。ティモシー・リアリーはハーバード大学の同僚リチャード・アルパートや、著作家のオルダス・ハクスリー〈彼の評論『知覚の扉』〈邦訳版は１９７６年に河出書房新社より刊行〉もドラッグ摂取と潜在能力について書かれており、広くヒッピーに読まれました〉と協力し、シロシビン（マジックマッシュルームの成分）やＬＳＤといったドラッグと人格変容についての研究を行っていました。しかし、その過激な研究が批判され、また１９６３年にガイドライン違反が発覚して大学を追放されます。

大学からの追放は、権威に対して反抗的なヒッピーたちにはむしろ好意的に受け取られ、彼の教祖としての人気を向上させました。

大学追放後のリアリーは独自の研究所を立ち上げ、これが度重なるＦＢＩの強制捜査によって潰されると、１９６６年に西海岸へと移って「精神探検同盟」という宗教色の強い組織を設立します。

その後、サンフランシスコで行われたイベント、「ヒューマン・ビー・イン」でリアリーが訴えた「Turn on, Tune in, Drop out」は、ＬＳＤ文化において非常に有名なスローガン

ジョン・レノン（中央左）、オノ・ヨーコ（中央右）と
ティモシー・リアリー（中央）。

となります。直訳すると「スイッチを入れ、波長を合わせ、脱落せよ」ですが、込められたものとしては「**ドラッグで覚醒し、高次元と調和し、社会に背を向けよ**」ほどの**意味**です。

このキャッチフレーズが受け入れられたことは、ヒッピーたちが精神的な新しい世界に希望を持っていたことをよく表しています。大量生産・大量消費社会の中で、似たような家、似たような製品、似たような価値観に囲まれて育ったヒッピーにとって、常識を越えた経験をもたらすＬＳＤは、画一的な価値観に抑圧されている自己を解放し、新しい世界や、非日常でしか知覚できないであろう真理に迫らせてくれるツールでした。

さらに、自己の解放というイメージは潜在能力の覚醒という発想にも繋がります。リアリーはこれにも触れており、たとえば彼のさまざまな論考が収録された『神経政治学：人類変異の社会生物学』（邦訳版は1989年にトレヴィルより刊行）という著作の中では8つの神経回路、すなわち、①生物生存回路、②感情回路、③器用さ・シンボリズム回路、④社会的・性的回路、⑤神経肉体回路、⑥神経電気回路、⑦神経遺伝子回路、⑧神経原子回路を挙げ、前者4つを「地上的」、後者4つを「ポスト地上的」としています。

常人が使えているのは4つ目の回路までであり、5つ目以降の眠っている回路を開くにはドラッグ（大麻、ペヨーテ、シロシビン、LSDなど）やヨガ修行、さらには重力からの解放が必要となります。そして、高次回路が覚醒した暁には、テレパシーや地球外生命体との交信、不老不死までが可能になるとされるのです。

「潜在能力の覚醒」というテーマは人々を惹《ひ》きつける力があり、たとえば無重力による超能力の覚醒という発想は、「ガンダム」におけるニュータイプとの類似性が指摘されます。

⊗ビートルズ／ジョン・レノン／LSD

LSDはその幻覚を思わせる異様に歪んだ文字や極彩色の配色など「サイケデリック」なデザインも生み、カウンターカルチャーを代表するドラッグとなりました。

ビートルズが1967年に発表した楽曲「Lucy in the Sky with Diamonds」は頭文字を取るとLSDになり、ファンの間で関連が噂されました。これはジョン・レノンによって否定されますが、当時LSDとロックが近い関係にあると考えられていたことを示唆するものです。

また69年の楽曲「Come together」は、カリフォルニア州知事選への立候補を表明したリアリーのためにレノンがつくった応援ソングです。

サイケデリックアートの出発点として知られる雑誌『オラクル』。

しかしながら、1966年からLSDの非合法化は始まっており、副作用による心身不調を訴える若者が出てきたことや、ディーラーが殺害される事件、バッド・トリップによる自殺が発生したことなどから、ヒッピーの関心は幻覚剤から離れていきます。

彼らの精神的な解放や充実を求める手段は

ドラッグから東洋思想へと移り（ここでの主役となるのが第3章で触れるリアリーの元同僚、リチャード・アルパート＝ラム・ダスです）、このため現在のスピリチュアルや自己啓発でドラッグが推奨されることはまずありません。

しかしながら、精神変容による能力開発を目指す姿勢は、自己啓発セミナーへと流れ込むことになります。

1 CIAによって1950年代初頭から行われていた洗脳実験。事前の承諾を得ないまま大勢の被験者にLSDを投与していた上、被験者の募集も非合法的な手段で行われていた。実験は米国だけでなくカナダでも行われており、LSDの他に催眠術や電気ショックについても研究されていた。ウォーターゲート事件後、米国情報機関の不正行為を調査するために設立されたチャーチ委員会によってその内容が暴露された。

2 米国が本格的にベトナム戦争に踏み込むきっかけとなった事件。米国政府は1964年8月2日と4日の2回、駆逐艦マドックスが北ベトナム軍によって攻撃されたため反撃したと発表し、8月7日には大統領の戦争権限を認める「トンキン湾決議」が採択された。ところが4日の事件については実際には攻撃が行われておらず、レーダー誤認と通信傍受の誤訳の結果だったが隠蔽された。

若者を魅了したカウンターカルチャーの暗転

⊗「stay hungry, stay foolish」／スティーブ・ジョブズ／環境問題／ハッカーカルチャー

本書では、マニア以外の方でも聞いたことのある言葉からスピリチュアルな潮流に触れることをテーマの1つにしているため、第1章の終わりに入る前にカウンターカルチャーの中心人物をもう1人紹介しましょう。

スチュアート・ブランドです。

この名前だけではピンとこない方も多いと思いますが、「stay hungry, stay foolish」という言葉については、スティーブ・ジョブズが2005年にスタンフォード大学の卒業式で行ったスピーチで引用され、起業志向の人々を中心に大きく取り上げられたので聞いたことがある方は多いでしょう。

これで思い出す方もいると思いますが、実はスピーチの中でこの言葉の引用元について触れられており、ブランドや彼がつくっていた『ホール・アース・カタログ（Whole Earth

スチュアート・ブランド（1938年−）。カウンターカルチャーとハッカーを繋ぐ人物として知られる。

Catalog, 略称はＷＥＣ）』の話が出てきます。

このことから私は当時、ヒッピー文化について学ぶことがブームになるかと思いきや、大事な要素にもかかわらずほとんど触れられなかったので残念でした。

ジョブズも述べていますが、「stay hungry, stay foolish」は『ＷＥＣ』の最終号に書かれていた言葉です。

『ＷＥＣ』は便利な道具や役立つ知識が詰め込まれたカタログで（ジョブズはこれをペーパーバックのGoogleと表現しました）、道具や書籍のレビューや入手方法が記載されていました。『ＷＥＣ』創刊にあたってはコミューン生活で苦労するヒッピーの姿が構想のヒントになっており、ブランドは開拓や農業に役立つアイテムが掲載されたこの雑誌をバンに積み、コミューンのヒッピーたちに売っていました。これは慣れない開拓生活に悩むヒッピーへの解決策になりましたが、一方で「消費社会を拒否してコミューンにやってきたのに、それをつくり上げるのに既製品を消費している」という矛盾も生み出しました。

ブランドはスタンフォード大学で生物学を専攻していた人物で、指導教官が人口爆発に警鐘を鳴らす『人口爆弾』（邦訳版は1974年に河出書房新社より刊行）を書いたポール・ラルフ・エーリックだったことから環境問題に関心を持っていました。『WEC』の表紙には地球の衛星写真が使われています。彼はLSDの項で触れたキージーやメリー・プランクスターズとニューヨークへと旅し、また「LSDなしでLSD体験を」実現させることを目指したトリップス・フェスティバルという大規模イベントを主催するなど、まさにカウンターカルチャーの中心人物であると言えます。

さらに、彼は早くも1984年にCD－ROM版の『WEC』を発表、同年に世界初のハッカー会議を開催、翌年には世界初の非営利バーチャルコミュニティ「THE WELL」を設立と、ハッカーカルチャーにも深く関わり、**カウンターカルチャーとサイバーカルチャーとの間を繋ぐ人物**としても知られています。

ジョブズが彼や『WEC』に尊敬を表していたのも自然なことなのです。

⊗チャールズ・マンソン／シャロン・テート殺害事件／ビートルズ／ヘルター・スケルター

ロックからオーガニックまで、多彩な文化で多くの若者を魅了し、社会現象となったカウンターカルチャーですが、60年代の終わりにそのシーンが暗転する事件が起きました。シャロン・テート殺害事件です。

殺害されたのは、当時有望な新人女優だったシャロン・テートなど5人。彼女は「チャイナタウン」や「戦場のピアニスト」で知られる映画監督、ロマン・ポランスキーとの子どもを妊娠していました。

当時ポランスキーは撮影のためにロンドンへ飛んで留守にしており、テートはヘアスタイリストやコーヒー財閥の娘といった友人たちを監督の豪邸に呼んでいました。そこに押し入ったのが「マンソン・ファミリー」の信者たちで、邸宅にいた5人を銃とナイフで殺害したのです。

当時34歳だったチャールズ・マンソンは、彼の信者集団であるマンソン・ファミリーを率い、カリフォルニア州内を移動しながらコミューン生活を送っていました。

この事件で犯人としてよく名前が挙がるのは彼ですが、実は彼自身は邸宅にいた人物を殺害していません。ポランスキー邸に乗り込んだのは信者だけで、殺害はマンソンの指示によるものでした。

マンソンは1968年に発表されたビートルズの「ホワイト・アルバム」を聴いて「ビー

トルズがこのレコードを通して自分にメッセージを伝えている」と考え、中でも「ヘルター・スケルター」という曲を独自に解釈し、ヨハネの黙示録や以前居《い》候《そうろう》していた「世界の泉」という教団の教義（この教団は黒人と白人の間で最終戦争が起こると主張していました）も混ぜ合わせて、「白人と黒人による大戦争が起こり、黒人が政府を転覆させるが、最終的には数少ない白人の生き残りであるマンソンたちに統治権を譲り渡すことになる。切り殺されるべきなのは金持ちでキリスト教徒の白人である」という荒唐無稽なビジョンを描きました。

チャールズ・マンソン（1934－2017年）。

そして69年8月8日の午後、信者たちにヘルター・スケルター計画の開始を宣言します。

このように、奇想天外な思想を持つ教祖によって犯罪が指示されたことから、この事件はカルト宗教に関するものとしてよく扱われています。

マンソンはコミューンを率いており、ビートルズのファンで東洋思想にも関心を持ち、髪と髭《ひげ》を伸ばし、コミューン内ではフリー・セックスが実践されて大麻やＬＳＤも摂取されるなど、その特徴はまさにヒッピーであり、しかも犯行のきっかけに荒唐無稽な解釈とはいえビートルズの楽曲が関わっていました。

見ようによっては「カウンターカルチャーのスターの楽曲にヒッピーが刺激され、前途有望な白人女優を殺害した」事件で、さらにマンソンたちが逮捕されたのはウッドストック・フェスティバルさなかの8月16日でした。

これは**主流社会の人々にヒッピーを危険視させるに十分なもの**でした。

ヘルター・スケルターはもともと塔の周囲に滑り台が付いている遊具のことですが、ビートルズの楽曲とシャロン・テート殺害事件から、この言葉には危険なイメージが付くこととなります。

たとえば２０１２年に沢尻エリカ主演で映画化された岡崎京子の漫画『ヘルタースケルター』（祥伝社）がそれです（作品のラスト、りりこが勤めるメキシコのクラブで「ヘルター・スケルター」が流れている描写があります）。

第2章 ニューエイジに繋がる源流

カウンターカルチャーの終焉と精神の新時代を目指したニューエイジ

⊗ニューエイジ／瞑想／民間療法／超能力／地球外知的生命体

60年代末から70年代前半には前章で取り上げたシャロン・テート殺害事件やオルタモントの悲劇（ローリング・ストーンズの米国ツアー最終日に行われた無料コンサートに押しかけた観客によって混乱が起き、警備担当による観客殺害や事故死が発生）といった事件がカウンターカルチャーの周辺で発生し、またヒッピーたちが理想郷建設を目指したコミューンはそのほとんどが失敗に終わりました。

さらに73年にはオイルショックによって長く続いた好景気が終わりを告げ、カウンターカルチャーは衰退していきます。

しかし、**カウンターカルチャーに含まれていた精神変容や自己覚醒を目指すスピリチュアルな部分はそれ以降も発展して「ニューエイジ」（New Age）となり、カウンターカルチャーに代わって大きな運動となっていきます。**

ニューエイジには瞑想や民間療法（代替医療）から超能力や地球外生命体との交信まで幅広い項目が含まれ（本書ではこの潮流が与えた影響をお伝えするためニューエイジを広めにとらえます）、現在のスピリチュアルで見られる項目の多くが登場します。

これはニューエイジが日本に影響を与えて精神世界が成立し、それを引き継いだのが現在見られるスピリチュアルだからです。このため、ニューエイジを調べていると、今のスピリチュアルやそれと融合した陰謀論を見た際にも、その元となっている思想が思い浮かぶようになります。

宗教学者島薗進《しまぞのすすむ》による『精神世界のゆくえ：宗教・近代・霊性』（秋山書店）では、ニューエイジが持つ信念や観念を、次のようにまとめています。

1. 自己変容あるいは霊性的覚醒の体験による自己実現
2. 宇宙や自然の聖性、またそれと本来的自己の一体性の認識
3. 感性・神秘性の尊重
4. 自己変容は癒しと環境の変化をもたらす
5. 死後の生への関心
6. 旧来の宗教や近代合理主義から霊性／科学の統合へ
7. エコロジーや女性原理の尊重
8. 超常的感覚や能力の実在
9. 思考が現実を変える
10. 現代こそ意識進化の時代
11. 意識進化は宇宙的進化過程のひとこま
12. 輪廻転生とカルマの法則
13. 地球外知的生命（ETI）との接触
14. 過去の文明の周期と埋もれた文明の実在
15. 人体におけるチャクラや霊的諸次元の存在

16. 水晶・音・香・場所などがもつ神秘力
17. 指導霊の実在
18. 体外離脱や誕生前記憶の体験による霊魂の存在の確認
19. チャネラーやシャーマンの真正性

ニューエイジは本書の中でも非常に重要な位置を占めますが、その中身に入る前に少し時代を遡《さかのぼ》り、ニューエイジを語るうえで重要な思想をいくつか見ておきたいと思います。

これらはニューエイジを形づくった源流なので、これを知っておくことで、本書で説明していない項目と出会った際にも、「ああ、この源流はあのあたりか」と当たりがつくようになります。

たとえば私は以前、陰謀論者が「真の歴史」と主張する年表を見かけたことがあるのですが、その内容が超古代文明（オカルト好きな方ならご存じのレムリアやアトランティスです）が何度も興隆と滅亡を繰り返すもので、神智学（↓58ページ）の歴史観をベースにさまざまなオカルト要素を足しこんだものであると一瞥《いちべつ》してわかりました。

ニューエイジの源流となる思想としてはスウェーデンボルグ主義（↓147ページ）や

ニューソート（↓145ページ）、スピリチュアリズム（心霊主義）や神智学がありますが、スウェーデンボルグ主義とニューソートについては第5章で説明するため、第2章ではスピリチュアリズムと神智学、そしてそこから派生した人智学《じんちがく》を取り上げます。

⊗降霊会／霊媒／コックリさん／心霊現象

スピリチュアリズムの発端は、19世紀米国のニューヨーク州ハイズヴィルに住んでいたフォックス姉妹です（スウェーデンボルグ主義やメスメリズムといった先行要因がありますが、ここでは置いておきます）。

フォックス姉妹は長女リー、次女マーガレット、三女ケイトの三姉妹でしたが、ある日マーガレットとケイトが物音（ラップ音）を介して霊と交信している現場に母親が居合わせ、その噂が広まって大勢の人がフォックス家に押しかけることになります。さらには長女のリーまで霊媒として活動するようになり、降霊会が一大ブームとなりました。

後にマーガレットとケイトが自白したとおり、姉妹が降霊会で見せた奇跡はトリックだったのですが、降霊会の人気は衰えずフォックス姉妹以外の霊媒も多く登場しました。

降霊会で起きる現象はラップ音の他にも自動筆記や霊の物質化（いわゆるエクトプラズ

フォックス姉妹。左からリー、ケイト、マーガレット。

ム）、空中浮揚や霊による楽器演奏など多岐に渡り、一種のエンターテイメントであったことがわかります。

このとき使われた道具の1つにウィジャボードという文字盤があり、これがコックリさんの原型であることを考えれば、降霊会を楽しむ人々の気持ちが想像できるのではないでしょうか。またこの他にも、死別した相手との交流を通して癒しを与える効果もありました。

降霊会からは**「死後も継続する霊魂」という考え方が生まれ、ダーウィンの進化論発表以降、既存のキリスト教への信仰危機に陥った人々の心に代替宗教として受け入れられ、次節で解説する神智学の源流にもなりました。**

また、宗教の「奇跡」とは異なり、一応は降霊会での心霊現象が繰り返し見られることから、宗教と科学の調和を目指す人々も現れました。そこから心霊現象を説明するために潜在意識が想定され、心理学にも影響を与えています。[1]

第8章で取り上げる江原啓之もこのスピリチュアリズムの系譜に連なる人物です。

1 心霊現象の研究団体である「心霊現象研究協会」(1882年設立)の指導者であったフレデリック・マイヤーズは幻視(たとえば幽霊を見るもの)や自動筆記、憑依現象などを潜在意識の働きによるものと論じ、また死者からのメッセージについても潜在意識から顕在意識に情報が伝達されたものであるとした。深層心理研究のパイオニアであるカール・グスタフ・ユングの博士論文『心霊現象の心理と病理』(法政大学出版会)は降霊会の観察記録と心理学的考察であり、マイヤーズが引用されていることからその影響が窺える。また、1901年に出版された『宗教的経験の諸相』(岩波書店)で著名な心理学者、ウィリアム・ジェームズもマイヤーズを高く評価しており、米国心霊研究協会の設立メンバーでもあった。

スピリチュアルの先駆けである神智学

⊗神智学／霊媒／魔術／神秘思想

神智学は、ヘレナ・P・ブラヴァツキーによって創始された宗教的な思想です。ゲームやアニメが好きな方なら、スマートフォンゲーム「Fate/Grand Order」に登場するエレナ・ブラヴァツキーというキャラクターをご存じかもしれませんが、ブラヴァツキーはそのモデルです。

神智学は霊的・スピリチュアルなものと物質的なものとの対立、霊的に高次元な存在であるマハトマや大師（マスター）との交信、転生を繰り返す霊魂とその霊的進化、ヨガによる超能力獲得など、**スピリチュアルで見られるさまざまな要素の先駆けとなっている**ため、その潮流を辿るうえでは特に重要です。

ブラヴァツキーは１８３１年にウクライナで生まれ、17歳のときに20歳以上年上のニキフォル・ヴァシリエヴィッチ・ブラヴァツキー将軍と結婚しますが、結婚生活がうまくいかなかったために放浪の旅に出ます。彼女は世界を旅しながらさまざまな魔術や神秘思想を学び、1873年にニューヨークに渡って霊媒として活動しました。

当時は降霊会が流行していた時代で、ブラヴァツキーは84年に降霊会で後の盟友オルコット大佐と知り合って意気投合し、85年にニューヨークで神智学協会を結成します。

⊗チャネリング／スピリチュアリズム／秘密結社／進化論／ダーウィン

神智学の特徴としてまず挙げられるのは、高い霊格を持つ「大師（マスター）」や「マハトマ（偉大な魂、マハトマ・ガンジーのマハトマもこの意味ですが神智学とは別です）」といった指導者と交信することで偉大な知恵を授かれるとしていることです。

ブラヴァツキー自身がもともと霊媒であり、スピリチュアリズムでも霊との交信が行われていましたが、一部（19世紀のイギリスで活躍した霊媒、元英国国教会の司祭でもあったウィリアム・

ヘレナ・P・ブラヴァツキー（1831－1891年）。現在のスピリチュアルが持つさまざまな概念を提唱した。

ステイントン・モーゼズの指導霊）を除いてはそうした発想が見られませんでした（ブラヴァツキーはもともと霊媒だったのにもかかわらずスピリチュアリズムを否定していましたが、モーゼズのみ認めていました）。

この「古代からの知恵を伝える未知の上位者」という発想は、フリーメーソンやイギリス薔薇《ばら》十字協会といった秘密結社から借用したものです。

また、スピリチュアリズムにおける霊とは違い、大師やマハトマはかなり物質的な存在でしばしば目撃され、グレート・ホワイト・ブラザーフッド（大聖同胞団）という秘密結社を形成していることになっていました。

このため、その存在は当初から疑問視され、また後にブラヴァツキーが空中から取り出せるとしていた大師からの手紙（マハトマ書簡）が**トリックであることを暴露される**ことになります。

高次元霊との交信という発想は現在のスピリチュアルでの「チャネリング」に繋がるものです。スピリチュアルに関心のない方からすると、いわゆるチャネラーが受け取ったメッセージを真実として受け取る人たちは不思議な存在だと思いますが、そこには「**スピリチュアルな次元が高い存在からのお告げには叡智《えいち》が含まれている**」**という発想がある**のです。

また、同じく重要なのが**進化論とスピリチュアリズムを折衷した歴史観**です。

1859年に出版されたダーウィンの『種の起源』によって進化論が広まり、それまでのようにキリスト教を信仰できなくなってしまった人が増える中、ブラヴァツキーは当時流行していたスピリチュアリズムと進化論を折衷し、さらにさまざまなオカルトを組み合わせて、超古代文明や人種論が登場する、独特の歴史説をつくり上げました。

それは宇宙の発生から太陽系の誕生までを記した「宇宙発生論」と、人類の霊的進化を記した「人類発生論」からなりますが、本書では後者について簡単に紹介します。

チャールズ・ダーウィン（1809－1882年）。

⊗アーリア人／アトランティス大陸／ナチス

神智学では7つの「根幹人種」が設定され、人類はそれぞれを経て進化していくとされます。それは第一根幹人種から順に、ポラリア人、ハイパーボリア人、レムリア人、アトランティス人、アーリア人、パーターラ人、神人です。

第一根幹人種であるポラリア人は北極近辺にある

とされる不滅の聖地に出現しましたが、この時点ではアストラル体という霊的存在でしかなく、物理的な身体は持っていませんでした。

第二根幹人種であるハイパーボリア人はグリーンランド周辺で発生しますが、これもエーテル体という霊体しか持っておらず、大規模な地殻変動によってほとんどが滅びます。

しかし、この中から第三根幹人種であるレムリア人が生まれ、初めて肉体と性別を持つようになります。レムリア人が住んでいたのはレムリア大陸という架空の大陸です。これはもともと動物学において、キツネザル（レムール）の分布を説明するためにインド洋上に想定されたものですが、神智学に取り入れられ、その場所はインド洋ではなく太平洋であるとされました。太平洋上にあった架空の大陸といえばムーですが、オカルトではしばしばムーとレムリアが同一視されます。

レムリア人には「光と知恵の子」と呼ばれる惑星霊が降下し、初めて高度な霊性を持つ人種となりますが、同時に「炎と暗い知恵の王」と呼ばれる悪しき霊も降下します。レムリア人は動物との性交を行ったために「ねじくれた赤毛の怪物たち」が生み出され、レムリア大陸は火山の爆発により海中に沈みます。

その後アトランティスで発展を遂げた第四根幹人種では、ついに言葉が話され、高度な科学と芸術が発達しますが、「光の子」と「闇の子」、霊性と物質性の対立は継続していました。「闇の子」による乱暴狼藉《ろうぜき》によって人間は物質的な低次元存在に堕落し、アトランティス大陸は大洪水に沈みます。

しかし、アトランティス人の聖人たちは洪水からヒマラヤやエジプトに逃れており、そこから第五根幹人種のアーリア人が誕生します。これが現在の世界で、アーリア人はその支配種族であるとされています。ここでアーリア人種論が取り入れられていることから推測される方もいると思いますが、**神智学はナチスのオカルト人種論にも影響を与えています。**これはまた別の機会にまとめたいと思います。

そして、将来的には北米大陸で第六根幹人種パーターラ人が発生し、そこから第七根幹人種が生み出されます。第七根幹人種に至って人類は完全なる霊性を獲得するのです。

ここまで神智学の根幹人種を見てきましたが、何となく同じパターンが繰り返されているのを感じていただけると思います。神智学では根幹人種の発生→物質的・動物的次元への堕落による滅亡が繰り返され、ここから**霊的＝高次元なものは善、物質的＝低次元なものは悪とする価値観**が読み取れます。

神智学の宇宙史や人類史はスピリチュアルや陰謀論でも多く取り入れられており、その

チャールズ・W・リードビーター（1854 − 1934 年）。ヨガにおけるエネルギーセンター、チャクラの解説書として広く知られる『チャクラ』（邦訳版は 1978 年に平河出版社より刊行）の著者もリードビーターであり、現代のヨガ解釈にも影響を与えている。

用語をよく目にします。

⊗ヨガ／アカシックレコード／超能力／オウム真理教

ここまで神智学における大師との交信や人類史について見てきましたが、加えて重要なのが**「ヨガで超能力が得られる」という考え方を喧伝《けんでん》していた**点です。

ブラヴァッキーの後継者の1人であるチャールズ・リードビーターは彼女の死後、大師との交信が、突然手紙を取り出す霊媒的な力ではなく、ヨガ修行で可能になると主張しました。

彼は瞑想や修行を行うことで大師たちと交信して指導を受け、透視力や死者との交信、あらゆる記憶が貯蔵されているという「アカシックレコード」へのアクセスが可能になると主張しました。

「ヨガ修行によって超能力者になれる」というのは大変魅力的な考え方で、アニメや漫画の設定にも取り入れられていますね。オカルト少年だった私も大好きでしたが、一方でオウム真理教が出版していた本に『超能力「秘密の開発法」：すべてが思いのままになる！』（大和出版）があり、オカルト好きな若者を取り込んでいたのです。

「自分たちだけは隠された秘法を知っており、凡人を超えたステージに行ける」という発想は、カルトや悪徳商法に利用されやすいということは心に留めておいていいでしょう。

神智学から派生したシュタイナーの人智学

⊗人智学

神智学の影響を受け、現在でも広く知られる「人智学」を創始したのがシュタイナー教育（ヴァルドルフ教育）で知られるオカルティスト、ルドルフ・シュタイナーです。

シュタイナー教育というと、「テレビを見せず、オーガニックな食事をする独特の教育方針」くらいに認識している人が多いと思いますが、シュタイナー教育とは人智学から生まれた教育であり、その背後には霊的進化や「アストラル体」といった神智学同様のスピリチュアルな要素が含まれています（ちなみに同じく代替教育で知られるモンテッソーリ教育[1]もニューエイジャーに支持された教育です）。

いきなり、「人間には物理的身体の他にアストラル体があって……」などと言うと驚かれるためか、シュタイナー教育について書かれた記事ではスピリチュアル面がほとんど「封印」されている印象がありますが、私としては人智学や神智学を知っておくと、怪しげなスピリチュアル話を聞いたときにも源流が思い浮かぶようになるため、避けるのはむしろもったいないと思っています。

この節ではそんな人智学とシュタイナーについて、ごく簡潔に取り上げます。

⊗シュタイナー／神智学

シュタイナーは1861年にクロアチアで生まれました。

彼は自然豊かな片田舎で育ったために自然と触れ合い、父親が鉄道関係の技術者だったためにテクノロジーに興味を持ち、さらには「他人には目に見えない生命体の存在」についても感知できるという、自然科学とスピリチュアルの両方に親和性を持った子どもでした。

彼はウィーン工業高等専門学校（現ウィーン工科大学）に進んで自然科学を学びますが、一方で文学や哲学にも関心を持っ

ルドルフ・シュタイナー（1861－1925年）。彼が提唱した人智学には教育や農業、医学など数多くの実践が含まれている。

ており、ゲーテやニーチェといった思想に影響を受けた後、神智学に辿り着きます。

シュタイナーはそこで高く評価され、1902年に神智学協会のドイツ支部の事務局長に就任しますが、前節でも触れたリードビーターとアニー・ベサント（1847年生まれの社会活動家・神智学徒で、リードビーターとともに神智学協会を率いた人物）がクリシュナムルティというインドの少年を救世主としたこと（シュタイナーはキリスト教志向が強かったのでこれを受け入れられませんでした）や、恋人で女優のマリー・フォン・ジーフェルスの影響で、詩や演劇への比重が強すぎると見られたことなどから協会を脱退し、新たに人智学協会を立ち上げました。

⊗キリスト教／西洋思想

このようにシュタイナーは神智学に強い影響を受けており、宇宙や人類が周期的に進化する歴史観を引き継いでいますが、一方で東洋思想の影響が濃い神智学に対し、キリスト教や西洋の思想を多く取り入れています。

たとえば人智学の歴史では地球は「土星期」「太陽期」「月期」「地球期」「木星期」「金星期」「バルカン期」という7段階で進化し、そこに住む人間も「肉体」「エーテル体」「アストラル体」「自我」「霊我」「生命霊」「霊人」という7段階で進化するとされています。これは神智学の周期説を引き継いでいますね。人智学では「レムリア人」や「アーリア人」といった根幹人種論も神智学から引き継いでいます。

一方で人智学には、人類の霊的進化をもたらすキリストと、物質主義によって人類を堕落させるルシファーやアーリマンといった悪魔的存在との対立というシナリオも見られ、ここにはキリスト教の要素が強く見られます（アーリマンはゾロアスター教ですが）。アーリマンが導くのは自然科学と唯物論、さらに銀行家をはじめとした「経済的人間」です。**人類は一時的には科学技術や経済システムの恩恵を享受しますが、霊的進化が止まることによりやがて文明は滅亡する**のです。

⊗エルンスト・ヘッケル「反復説」

また、興味深いので触れておくと、**人智学は人類が最新の種ではなく、「最古の種」であるという進化観を持っています。**

人類は精神的なステージが上がるたびに魚や動物として進化し続けてきており、**今見られる魚や動物は「進化しそこなった人間」**なのです。

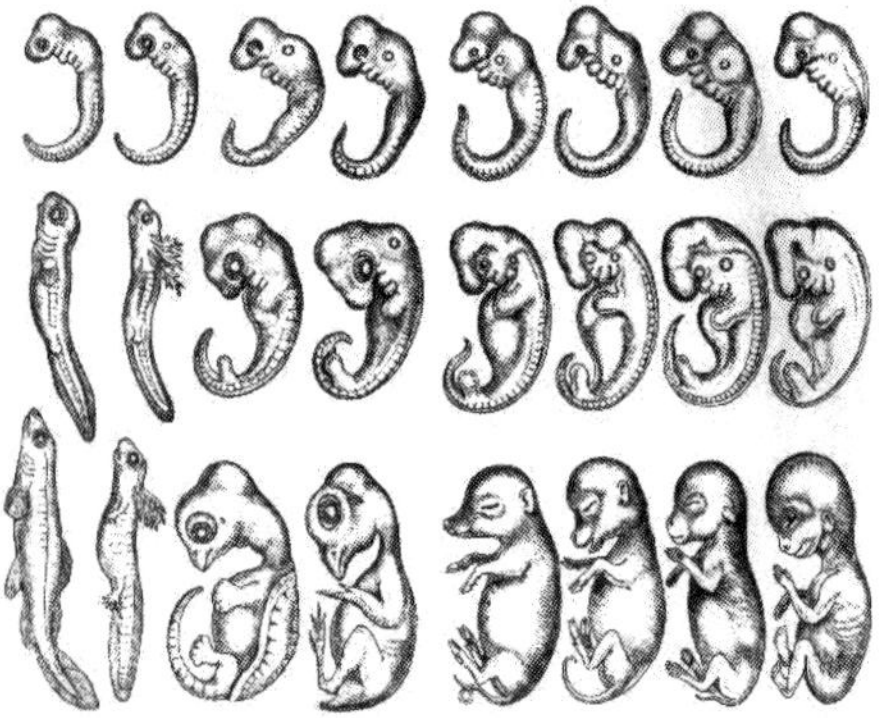

ヘッケル（1834－1919年）による
脊椎動物各群の発生過程。

これはエルンスト・ヘッケルの反復説に影響を受けたものと考えられます。反復説とは「個体発生は系統発生を繰り返す」というもので、皆さんも「胎児がヒトの形態になるまでに魚類から爬虫類、そして哺乳類と進化の軌跡を辿っている」という説を聞いたことがあるのではないでしょうか。

⊗シュタイナー教育

そして、**人智学が神智学と異なるのは、教育や農学、医学といった実践的な分野の指針を示したこと**です。

特に教育については、シュタイナーが長く家庭教師をしていたことから構想されました。彼は15歳の頃から補習授業の講師を受け持っていた他、大学卒業後に住み込みで家庭教師をしていた際に自ら水頭症（脳室に脳脊髄液が溜まることによって脳機能に影響が出る疾患）の子供の教育をかって出るなど教育に強い関心を持っていました。

シュタイナー教育は人智学から生まれた実践の中でも特に有名で、ヨーロッパを中心とした世界各地にシュタイナー学校（ヴァルドルフ学校）が存在します。

シュタイナー教育では子どもの発達を人智学の人間認識に合わせた3つの7年周期に分け、そのたびに新たに「誕生する」とします。これはすなわち、**生まれた瞬間の肉体誕生から、7歳でのエーテル体誕生、14歳でのアストラル体誕生、21歳の自我誕生で、それぞれの段階に適した教育が必要**となります。

たとえばエーテル体が発達する第2「7年期」では「唯物論的な思考」教育を行うには適しておらず、暗記に徹するべきであるとされるのです。

シュタイナーの教育理論ではこの他にも繰り返し「唯物論的な知性や理論」を、特に早い段階で子どもに与えることを嫌う説明が見られ、「アーリマンが科学と唯物論を導く」とする人智学の影響を感じさせます。

エドガー・ケイシー（1877－1945年）。催眠状態でさまざまな助言を行ったため「眠れる予言者」と呼ばれる。

⊗ホメオパシー／眠れる予言者／ポケモンのケーシィ／アカシックレコード／超古代史

この他、人智学では農業については「バイオダイナミック農法」という有機農法が提唱され、デメターインターナショナル[2]という国際認証機関が存在します。また医学についても「人智医学」が存在し、第4章でも触れるホメオパシー理論を深く取り込んでいます。

また項目レベルでは取り上げませんが、シュタイナーの他、神智学の流れを汲《く》んで後世に影響を与えた人物に「眠れる予言者」エドガー・ケイシーがいます。

ケイシーは催眠状態で「アカシックレコード」にアクセスしているとし、超古代史や魂の転生について語っていましたが、これはいずれも神智学の影響を強く受けたものでした。彼の著作がニューエイジャーに広く読まれたことから超古代史ブームが起こり、マンガやアニメにも取り込まれていきます（『海のトリトン』『ムーの白鯨』『ドラえもん　のび太の海底鬼岩城』『ふしぎの海のナディア』『アトランティス』など）。

さらに、読者の皆さんの中にはケイシーと聞いてあるキャラクターを思い浮かべる方がいるかもしれません。ケイシーはゲーム「ポケットモンスター」に登場するエスパータイプのポケモン、ケーシィのモデルでもあります。

1　イタリアの医師・教育者であったマリア・モンテッソーリによって20世紀初頭に生み出された教育法。子どもを本来的に知識欲求を持つ＝「自己教育力を持つ」存在とし、発達段階に適した環境を準備し自由に活動させる。その影響については不明だが、モンテッソーリは神智学協会と交流を持っていた。

2　正式名称は「Biodynamic Federation Demeter International」。本部はドイツ。世界65カ国以上に展開しており、バイオダイナミック農法のトレーニングや認証、「Biodynamic®」および「Demeter®」商標の保護管理を行っている。デメターインターナショナルの認定を受けることにより「Demeter」認証済みラベルを表示することができる。

第3章 ニューエイジの覚醒

ヒッピーが夢見た新時代

⊗ニューエイジ／水瓶座／魚座／反キリスト教／反近代合理主義／ミュージカル「ヘアー」／占星術／風の時代／神智学／ホゼ・アグエイアス／グレート・コンジャンクション

ニューエイジは英語で「New Age」、つまり「新しい時代」という意味で、「水瓶座の時代」を指しています。

水瓶座と付いていることからわかるとおり、これはもともと占星術の言葉です。天文学や占星術には、地球から見た星の位置を表すための「天球」という仮想の球体があり、これは地球を中心としています。天球には太陽が通る経路である「黄道」があり、この上には「そこを太陽が通る瞬間に春分となる」春分点という点があります（秋分点もあります）。春分点は黄道上を約2万6千年周期で一周します。

占星術用語に「黄道十二宮」という言葉がある通り、黄道は12分割されて星座が割り当てられています。ここから「春分点がどの星座の位置にあるか」によって時代を星座で表す考え方が生まれました。1つの星座の時代は2160年間です。

ニューエイジでは「現在は魚座の時代であるが、遠くない未来に水瓶座の時代がやってくる」とされ、キリスト教と近代合理主義が支配していた魚座の時代に代わる時代がやってくるとされます。ここで魚座とキリスト教が結びつけられているのは、魚がキリスト教の象徴だからです。[1] このため、**ニューエイジはカウンターカルチャーと同じく反キリスト教・反近代合理主義の性格を持っています。**

評論家の海野弘は『世紀末シンドローム：ニューエイジの光と闇』（新曜社）の中で、その精神を次のようにまとめています。

> ニューエイジの覚醒により、人生に対する取組みが変わる。有機栽培された自然食品を食べるようになり、菜食主義になる。動物を殺して食べることをやめ、植物

の生命力によって生きるのである。

霊的世界観は、肉体の死後も、霊魂が不滅であると語っている。もしそうなら、私の魂が目覚めれば、亡くなった人たちと心と精神による交流、テレパシーが可能となる。

ニューエイジは人間を肉体、精神、霊の三重のものとして考える。それは、肉体と精神という有限の人間を超える永遠の霊を信じることである。（中略）超感覚知覚（ESP）を否定し、人間を物質的、肉体的面からとらえる近代科学の否定に対して、ニューエイジは霊的な目覚めを語ろうとするのである。

（中略）

こちらの世界と彼方の世界を仕切っていた障害が崩れ、意識が解放され、魂が肉体という制限を越えて拡大してゆこうとしている。


また、1960年代後半から70年代前半に上演し大ヒットしたヒッピーが主人公のミュージカル「ヘアー」の曲をカバーアレンジした「Aquarius~Let the Sunshine In」は1969年のグラミー賞最優秀レコード賞を獲得しており、その中では水瓶座の時代に

天球上の黄道と十二星座

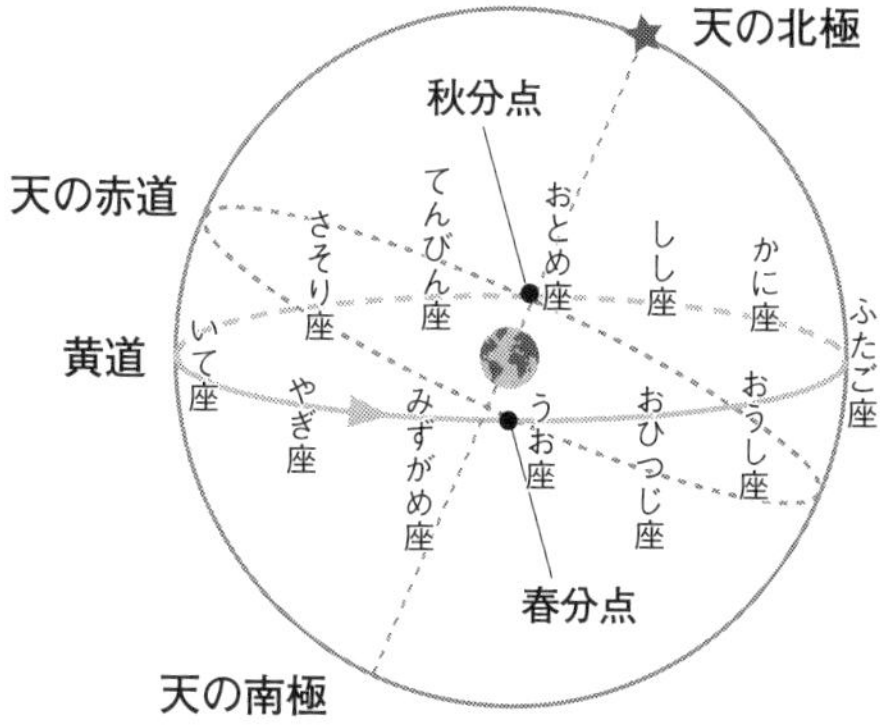

黄道と天の赤道が交わる点のうち、
手前の点（黄道が南から北に赤道と交わる）が
春分点、奥の点が秋分点。

現れるものとして調和や理解、協調と信頼、黄金に輝く強烈なビジョン、精神の真の解放といったことが歌われています。

「ニューエイジ」としての「水瓶座の時代」を使いはじめたのは神智学協会から独立してアーケイン・スクールを設立したアリス・ベイリーで、彼女は**神智学の周期説と占星術を合体させた**のです。これはベイリーの弟子のデーン・ルディアを通じてホゼ・アグエイアス（↓102ページ）に引き継がれ、マヤ暦から見た新時代の到来が主張されるようになります。

「風の時代」もよく聞かれるものですが、これは木星と土星が重なるグレート・コンジャンクション（星同士が重なるコンジャンクションの中でも木星と土星が重なるものを特にこう呼ぶ）が起きる星座が「地の星座（牡牛座・乙女座・山羊座）」から「風の星座（双子座・天秤座・水瓶座、風の時代で言われるのは特に水瓶座）」に変わるというもので、発想としては水瓶座の時代と同じものです。

⊗インド／禅／チベット密教／儒教／鈴木大拙／鈴木俊隆／超越瞑想

ヒッピーたちにＬＳＤへの扉を開いたのがティモシー・リアリーなら、インドへの扉を開いたのはババ・ラム・ダスことリチャード・アルパートでした。

彼を有名にしたのは、なんと言っても１９７１年に刊行したヒッピーの聖典『ビー・ヒア・ナウ』です。この本はハーバード大学で働いていたアルパートがグルであるニーム・カロリ・ババ（マハラジ）に出会って学ぶまでの体験記である第一部、彼がインドで学んだと思われる哲学を表現した言葉やイラストが並ぶ第二部、アーサナ（ヨガの体位）や瞑想からコミューーンの運営方法までが並んだ「意識を高めるための百科全書」である第三部からなります。

特に第一部は名門大学で働いていたアルパートがティモシー・リアリーと出会い、シロシビンやＬＳＤを服用した体験や大学を追い出された瞬間、インドに渡ってグルに出会って神秘的な体験をする様子など刺激的なエピソードが次々と書かれ、ヒッピーが興味を持ったのもよくわかります。

実は私も学生時代に民俗学の先生から『ビー・ヒア・ナウ』（１９８７年に刊行された平河出版社版）をもらって読んだことがあり、「インドのグルにＬＳＤを大量に飲ませてみたが、何事も起こらなかった」というエピソードを読んで、「うーむ、これがインドか」などと感心していたのですが、ヒッピーも同じ部分に感銘を受けていたようです。若者が考えることというのはいつの時代も変わらないのかもしれません。

ババ・ラム・ダス（1931－2019年）。

また、第二部は意味深なイラストやアクロバティックなレイアウトの幻想的な文章が続き、ページの色も次々に変化するため「読むサイケデリック」といった趣があります。

ニューエイジでは、この本に書かれているような

鈴木大拙（1870－1966年）。海外での講義や講演を通じて広く禅を紹介した。

ヨガやインド思想だけでなく、禅やチベット密教、儒教といった東洋思想全般に関心が集まりました。儒教の経典である『易経』やチベット密教の『チベット死者の書』、鈴木大拙《すずきだいせつ》やアラン・ワッツ[2]の禅に関する書籍などがよく読まれました。

また書籍以外でも、鈴木俊隆《すずきしゅんりゅう》（米国に禅を広めた曹洞宗の僧侶）によるサンフランシスコ禅センターやマントラを唱えたり踊ったりするクリシュナ意識国際協会、この後取り上げる超越瞑想などの実践場所も現れました。こうした動きは東洋を「書籍や僧院によって神秘的な情報が伝えられる、海の向こうの世界」にしました。ヒッピーたちは東洋にある種の幻想を抱き、インドへ渡る若者が多く現れました。

⊗グル／スティーブ・ジョブズ／マリファナ／LSD／インド／がん／絶対菜食主義／鍼／ハーブ／腸浄化／水治療／心霊療法／民間療法

この時代のヒッピーと同じく、マリファナを吸い、禅を学び、グルを探してインドに渡った後、今では時価総額世界1位を誇る企業を立ち上げた人物がいます。スティーブ・ジョブズです。

ベストセラーになったジョブズの伝記を読んだことのある方は多いと思いますが、第3章〜第6章のタイトルは次のようになっており、カウンターカルチャーやニューエイジに関わる言葉が次々と出てきます。

第3章　ドロップアウト：ターンオン、チューンイン
第4章　アタリとインド：禅とゲームデザインというアート
第5章　アップルⅠ：ターンオン、ブートアップ、ジャックイン
第6章　アップルⅡ：ニューエイジの夜明け

第3章と第5章はティモシー・リアリー、第4章は禅、そして第6章はそのままニューエイジです。また、第6章のサブタイトルは「スターウォーズ」のエピソード9、「スカイウォーカーの夜明け」も思わせます（映画の公開は2019年なので偶然なのですが）。

1977年に第1作が公開された「スターウォーズ」に、宇宙やコンピュータ、東洋風

の道着と修行によって「フォース」を操る設定といったカウンターカルチャーやニューエイジに通じる要素が含まれているのは偶然ではないでしょう。ジョブズは１９８６年にルーカスフィルムのコンピュータ部門を買収し、これがピクサーとなります。

伝記にも書かれていますが、ジョブズはハイスクールの頃からマリファナやＬＳＤを摂取しており、後にこう振り返っています。

ＬＳＤはすごい体験だった。人生でトップクラスというほど重要な体験だった。ＬＳＤを使うとコインには裏側がある、物事には別の見方があるとわかる。効果が切れたとき、覚えてはいないんだけど、でもわかるんだ。おかげで、僕にとって重要なことが確認できた。金儲けではなくすごいものを作ること、自分にできるかぎり、いろいろなものを歴史という流れに戻すこと、人の意識という流れに戻すこと。そうわかったのはＬＳＤのおかげだ。

ジョブズは『ビー・ヒア・ナウ』に影響されてニーム・カロリ・ババを探しにインドへ放浪の旅に出たり（すでに故人になっていたため会えませんでした）、鈴木俊隆の『禅マイン

ド・ビギナーズ・マインド』（邦訳版は２０１０年にサンガより刊行）を読んで禅に関心を持ち、サンフランシスコ禅センターへ通ったり、フランシス・ムア・ラッペの『小さな惑星の緑の食卓』（邦訳版は１９８２年に講談社より刊行）を読んで菜食主義者になったりと、要するに典型的なヒッピーでした。**彼が偉業を成し遂げられたのは、もしかしたらこうした思想のおかげなのかもしれません。**

しかし一方で、ニューエイジがジョブズの人生に暗い影を落としたことにも触れておきたいと思います。ここからは、ジョブズの伝記『スティーブ・ジョブズⅡ』を参考に記載します。

スティーブ・ジョブズ（1955－2011年）。言わずと知れたAppleの創業者。若い頃は典型的なヒッピーであった。

彼の身体にすい臓がんが見つかったのは２００３年ですが、そのがんはすい臓がんとしては珍しい「すい臓神経内分泌腫瘍《しゅよう》」というもので、早期に手術すれば生存確率を上げられるものでした。

ところがジョブズは手術を拒否し、新鮮なニンジンとフルーツのジュースを大量に摂る絶対菜食主義や鍼《はり》、ハーブ、腸浄化、水治療、心霊療法の専門家の推奨治療といった民間療法を試みました。

このような療法でがんが治ることはなく、２００４年７月にはむしろがんが大きくなっていることがわかり、さすがのジョブズも手術を受け入れます。このとき、肝臓への転移が見つかっていました。

その後の２００８年にはがんが広がっていることがわかり、肝臓移植手術を行いましたが、２０１１年には骨をはじめとしたさまざまな部位にがんが転移しており、適切な薬はなくなっていました。そして２０１１年10月５日、ジョブズは永眠しました。

彼は、がんが発見された際に民間療法を選んでしまったことを悔いていたようです。

1　ギリシャ語でイエス（ΙΗΣΟΥΣ）、キリスト（ΧΡΙΣΤΟΣ）、神の（ΘΕΟΥ）、子（ΥΙΟΣ）、救世主（ΣΩΤΗΡ）の頭文字を取ると「ΙΧΘΥΣ（イクトゥス）」＝ギリシャ語で「魚」になるため、キリスト教のシンボルとして魚が用いられる。

2　１９１５年イギリス生まれ。鈴木大拙の影響で禅を始め、本格的な修行を行う。禅や仏教に関する多数の著作で知られる。

テロ集団と化したラジニーシ教団とオショー

⊗ラジニーシ（オショー）／インド／アシュラム／ヒッピー／性行為

第4章で触れる超越瞑想の創始者であるマハリシと並んで、インドのグルとして有名だったのがバグワン・シュリ・ラジニーシ（オショー）です。ラジニーシは大規模コミューンへの集団移住やバイオテロといった派手な活動で知られ、日本の新宗教と比較されることもあります。

ラジニーシは1931年、中央インドのマディア・プラデシュ州で、ジャイナ教[1]の衣服商の長男として生まれました。

彼はインド中部のジャバルプール大学で哲学を専攻し、21歳にして早くも悟りを得ます。ラジニーシは1960年には同大学の哲学教授となりますが、やがてその職を辞して講演と瞑想グループの指導に専念するようになり、そのテクニックはダイナミック・メディテーション[2]として評判になりました。70年には正式な徒弟制度を開始し、サニヤシンと呼ばれる弟子はラジニーシからサンスクリット語の名前（サニヤシンネーム）をもらっていました。

ラジニーシは大勢の弟子を抱えるグルとなり、1974年にはマハーラーシュトラ州プネーに2万平方メートルもの敷地を持つアシュラム（僧院）を建設しました。

哲学科の教授だった彼が行う哲学や宗教の話は人々の興味を引き、またその思想は特段欲求、特に**性的欲求を否定しない現世肯定的なものだったため多くの人に受け入れられました。**

ラジニーシの思想では、**人間の目標は真の個性が開花し、自己が宇宙と一体化した光明を得ること**とされます。光明を得るうえでは、学校での教育や道徳といった社会的条件づけによって増進した自我が邪魔をするため、自我を落とす必要があります。

ラジニーシは、自我を落とすためには社会的に植えつけられたような基準で価値判断をせずに自己の思考や感情を見つめ続けることが必要とし、伝統宗教に見られるような性的エネルギーの否定については批判する立場を取りました（ちなみに彼は超越瞑想について、鎮静効果はあるものの人を生まれ変わらせることはないとしています）。

「何をやってもよい」というのがラジニーシのスローガンであり、制限や戒律からは無縁だったことがわかります。

このように性や快楽を否定せず、また社会的な刷り込みを否定するラジニーシの思想はヒッピーと相性がいいものでした。プネーのアシュラムには大勢の欧米人が訪れ、サニヤシンの大半を欧米人が占めるようになります。

アシュラムにはヒッピーに続いて、エサレン研究所の関係者や、それに倣ったヨーロッパの治療センター「クィースター」の共同設立者といった中心人物を含むヒューマンポテンシャルムーブメント（第5章を参照）に関わっていたセラピストたちも大量に訪れたため、各種ワークショップやグループセラピーの一大実験場となりました。

その中には他の参加者への暴力も許容されるエンカウンター・グループ（集団セラピーの一種、第5章を参照）や、セラピーの参加者と性行為を行う（教団の悪評の原因となったため後に禁止）タントラ・グループも含まれます。

ラジニーシはビジネスも否定していなかっ

バグワン・シュリ・ラジニーシ（オショー、1931 − 1990 年）。21 歳にして悟りを得ていたという。

たため、アシュラムの運営のために瞑想やセラピーを商品化し、ますます多くの欧米人や日本人が訪れるようになりました。

しかし、そのあまりに自由な価値観や、大勢の欧米人・日本人を取り込む様子はインド社会との軋轢《あつれき》を招きました（ヒンドゥー教原理主義者がラジニーシにナイフを投げたこともあったといいます）。

このため教団は81年にインドを離れて米国に渡ります。そしてこの地で、さまざまな事件を引き起こすこととなるのです。

⊗ラジニーシ・プーラム／「プネーのアシュラム」

1981年6月、ラジニーシは弟子にも行き先を告げず突如インドを脱出します。教団の新しい中心地、米国に向かうためでした。

教団はオレゴン州のワスコ郡とジェファーソン郡にまたがる6万4000エーカーという広大な土地を購入し、8月にはラジニーシを受け入れ、続いて弟子の移住を開始します。荒野はサニヤシンたちによって開拓され、住居や農場、巨大な瞑想センターの他、ショッピングセンターやダム、空港までつくられていました。

このコミューンはラジニーシ・プーラムと名づけられました。**ラジニーシ・プーラムでは、永住者は全財産を教団に寄付することが求められ、長期滞在者は滞在費を支払うとともに清掃や工事といった仕事に従事することが必要**でした。

この時期にはオレゴン以外にも世界十数カ国に国際コミューンがあり、その中には日本も含まれていました。東京でも、約110名が財産を処分して共同生活を送っていたのです。

オレゴンに安住の地を見つけたかに思われた彼らですが、ここでも近隣住民との強い緊張関係が発生します。奇妙な出で立ちをしたサニヤシンたちが（教団の指定で赤いローブと数珠を身につけていました）大量に押し寄せて道端でハグやキスをする様子や、グループセラピー中に起きた事故の情報は地元住民に不安と恐怖を与え、また弟子たちの独善的な態度は敵対心も惹起《じゃっき》させるものでした。

さらに、彼らのセラピーを記録した「プネーのアシュラム」という映画が公開されると、裸の信者たちがグループセラピーで性的な行為を行ったり、感情が高まり泣き叫んだり、集団でハイになったりしている様子が住民のみならず米国社会に強い衝撃を与えました。

何より、宗教団体による大量移住そのものが1978年に起きた人民寺院事件を彷彿《ほうふつ》

ジョーンズタウンの入り口。

とさせるものでした。

⊗人民寺院事件／ジム・ジョーンズ／ガイアナ／ジョーンズ・タウン

人民寺院とは1955年に米国インディアナ州で設立されたキリスト教系宗教団体で、ラジニーシ教団と同じく地元との軋轢《あつれき》が高まったことから南米ガイアナに移住しました。人民寺院の信者たちはここに楽園を求めましたが、実際には地獄と化しました。

1978年11月、信者の家族から相談を受けたレオ・ライアン下院議員がコミューン（ジョーンズ・タウンと名づけられていました）の視察に訪れたのですが、一部信者を米国に連れ帰ろうとして銃殺されてしまいます。さらに教祖ジム・ジョーンズは服毒による集団自殺を指示し、合計900人を超える史上最大の集団自殺事件となりました。偶然にもライアン議員の娘であるシャノン・ライアンはラジニーシ教団に入信しており、オレゴンのプーラムにも参加していました。

このような摩擦から、ラジニーシ・プーラムは近隣住民から土地利用に関する訴訟（農地のはずの土地に工場や住宅を建てていたため）を起こされ、郡から建物の取り壊しを執行されかねない状況に陥ります。

そこで彼らは近隣の小さな街アンテロープへと移住を始め、**住民投票を行ってアンテロープの名前を「ラジニーシ市」に変えてしまいました。**これはさらなる批判と軋轢を招き、教団が所有しているホテルでの爆破事件も発生します。

このホテルには大勢のサニヤシンたちが宿泊していたために教団は一般社会への反発を強め、銃の備蓄と訓練を進めました。

⊗テロ／オウム真理教／松本サリン事件／地下鉄サリン事件／ホーリーネーム／和尚禅タロット

そして1984年、バイオテロが発生します。

地元周辺のレストラン10軒にサルモネラ菌が撒《ま》かれ、751人が感染、45人が入院しました。これはワスコ郡選挙における対抗馬の支持者を無力化するために教団が仕掛けたもので、ラジニーシ教団ではこの他、公共施設への放火も行われていました。

オレゴンに中心を移してからの教団は実質的にラジニーシの秘書であるマ・アナンド・シーラによって運営されており、彼女はFBIの捜査が本格化する前に側近を連れて国外逃亡していましたが、1985年10月に旧西ドイツで逮捕されます。

また、ラジニーシもシーラが脱出した1カ月後に逃亡を試みますが、ノースキャロライナ・シャーロット空港で逮捕されました。そしてオレゴンのラジニーシ・プーラムは閉鎖されました。

ラジニーシ教団は、弟子にサニヤシンネームを与えていたことや集団移住を行ったこと、テロを起こしたことからオウム真理教との類似性が指摘されます。

オウム真理教も出家信者にホーリーネームという教団内の名前を与えており、阿蘇山や富士山の麓《ふもと》へ移住し、松本サリン事件や地下鉄サリン事件といったテロを起こしていたためです。

ラジニーシ運動は、現在もプネーをはじめとした各地の瞑想センターや出版物として継続しています。彼の講話をタロットカードにした「和尚禅タロット」[3]を使ったことのある方も多いのではないでしょうか。

1　紀元前6～5世紀頃に成立したインドの宗教。創始者はマハーヴィーラ。考察の際に断定を避け、さまざまな視点から捉える相対主義を特徴とする。徹底的な禁欲の実践や、商人の信者が多いことで知られる。

2　ラジニーシによって開発された瞑想手法。音楽とともに行われ、身体を激しく動かしたりマントラを叫ぶのが特徴。

3　ラジニーシの講話がデザインされたタロットカード。79枚のカードから構成され、引いたカードを解釈することにより自分の内面を理解できるとされる。スマホアプリ版もある。

現代のスピリチュアルが考えている宇宙人と一般的な宇宙人の違い

⊗ジョージ・アダムスキー／古代／宇宙

ニューエイジにおいては、カウンターカルチャーと同様「今主流ではない何か」が求められました。

新しい時代には、今の時代にはないものが求められるというわけです。今主流ではないものを探すということはつまり、空間の移動＝ここことは違う場所、たとえば東洋や宇宙、あるいは時間の移動＝今とは違う時代、たとえば古代に目を向けるということになります。

ちなみにニューエイジでは未来の話があまり見られないのですが、**未来を思わせる科学技術の革新は資本投下が可能な大企業や政府機関でなければ難しく、体制を嫌うニューエイジとは相性が悪かったのではないか**と思います。

とはいえ、技術についてはパーソナル・コンピュータの可能性を追求する動きがカウンターカルチャーからハッカーへと受け継がれていきます。古代に注目したのが次節で取り上げるホゼ・アグエイアス（↓102ページ）、そして宇宙に注目したのが本項で取り上げるジョージ・アダムスキーです。

⊗宇宙人／UFO／アルクトゥールス星人／引き寄せの法則

宇宙人、といえばオカルト好きでなくともイメージが浮かぶと思います。

しかし、気をつけないといけないのは、スピリチュアルで言われる宇宙人が、一般の人が思い浮かべるものとは違っている場合があることです。私はこれをよく表す光景を見たことがあります。

それは、とある女性スピリチュアルリーダーと男性芸能人が対談するテレビ番組を見ていたときのことです。

この番組の中で、スピリチュアルリーダーである女性が宇宙人やUFOについて次のように話していました。

「私は普段から宇宙人と交信していますが、すべての人が、実は宇宙人からメッセージを受け取っているのです。何を食べたいとかどこに行きたいとかの直感がそれです。それは実は、アルクトゥールス星人が我々を豊かにしようとメッセージを送ってくれているのです。したがって私たちは、直感にすべて従うことで幸せになれるのです。さらに私は引き寄せの法則についても研究しています」

番組に出演していた男性芸能人はこの話を聞いて、**「UFOは信じているけど、アルクトゥールスからメッセージがどうこうというのがよくわからない。宇宙人の話をしている人から引き寄せが出てくるのもよくわからない」**と困惑していました。

スピリチュアルに触れていない多くの人も、このように感じるのではないでしょうか。

⊗UFOコンタクティ／ロズウェル事件／ヒル夫妻アブダクション／アダムスキー型円盤／金星人／『空飛ぶ円盤実見記』

一般に流布している宇宙人といえば、「E.T.」や「インデペンデンス・デイ」「エイリアン」「メン・イン・ブラック」といった映画（↓333ページ）に見られるような「どこかの星からやってきて我々を侵略する、あるいは仲良くなる」存在です。

ところが、**スピリチュアルでよく見られる宇宙人は「やってくる」存在というよりは、「交信する」、あるいは「呼び寄せる」存在**で、ここを理解しておかないとスピリチュアル系の人と話が噛み合わないことがあります。

私自身の経験としても、過去に参加した勉強会で「宇宙人が好き」という女性と話すことになり、元オカルト好きとしてロズウェル事件[1]やヒル夫妻アブダクション[2]（誘拐）事件といったUFO事件の話を持ち出したところ、あまり話が合わなかったことがあります。よくよく話を聞くと、相手はスピリチュアル系で、宇宙人から受け取ったメッセージを読んだり、「魂が宇宙から来ている」タイプの人だったということがありました。

このように「宇宙人と交信する」人物のことをUFOコンタクティと呼び、その代表例がジョージ・アダムスキーです。

アダムスキーと言えばオカルト番組を見たことのある人であれば知っている人が多いと思います。UFOの形態としてよく知られる、「アダムスキー型円盤」のアダムスキーです。**アダムスキーをUFO研究家として認識している人も多いと思いますが、彼はもともと、「王立チベット教団（Royal Order of Tibet）」という宗教団体を率いていた宗教思想家**でした（ちなみに禁酒法時代に「宗教目的」ということでワインを醸造して売っていたようです）。

この教団は1940年代にパロマー山近くで共同生活を送っていたようです。

彼がコンタクティとして知られるようになったのは1952年の冬の事件がきっかけです。11月20日、妻や友人とピクニックに出掛けていたアダムスキーは、カリフォルニア州デザートセンター近くで巨大な葉巻型のＵＦＯを目撃しました。ＵＦＯを追いかけたアダムスキーは茶色のスキースーツのようなものを身に着けた美しい金星人「オーソン」と出会い、テレパシーや身振りで会話します。

オーソンは核兵器開発について危惧《きぐ》しており、またすでに地球に宇宙人がやってきていることや、人間は惑星間を転生しながら生き続けていることを伝えました。

アダムスキーがこの体験をまとめた『空飛ぶ円盤実見記』（邦訳版は１９５４年に高文社より刊行）が大ベストセラーとなったことにより、彼は一躍有名人となり、同様のＵＦＯコンタクティが続々と現れたのです。


⊗アカシックレコード／スペース・ブラザーズ（宇宙同胞団）／オリオン星人／プレアデス星人

ここまでがアダムスキーがＵＦＯ関連の人物として有名になるまでの流れですが、その思想を見てみると神智学（↓58ページ）の影響をかなり受けていることがわかります。

たとえば、王立チベット教団の教義には輪廻転生を繰り返す人間や霊性の向上、その結果到達する大師の境地といった内容が含まれており、かなりの部分を神智学から引き継いでいることがわかります。

そして彼がＵＦＯコンタクティとして説いていた内容には、神智学や人智学（↓66ページ）で見られるアカシックレコード（過去から未来に至るすべての記憶が貯蔵されている宇宙記憶）へのアクセスや、宇宙人たちが構成する「スペース・ブラザーズ（宇宙同胞団）」[3]、それを率いる「指導者」によって与えられる宇宙の真理、惑星間を転生して霊性を向上させていく魂といった内容が含まれ、ここでも神智学からの影響が色濃く見られます。

ここまで読んでいただければ、今のスピリチュアルで見られる「宇宙人との交信」「宇宙人からのメッセージ」の意味するところがわかっていただけると思います。

ここでの宇宙人は、**地球を襲ってくる存在や友だちになる存在ではなく、高度な知性を持つ聖なる存在**なのです。

スピリチュアルではさらに、「私は宇宙人（オリオン星人やプレアデス星人が多い）」と言い出す人もいます。これは、「親が宇宙人に誘拐された結果生まれたのが私」であるとか、「実は私は宇宙からやってきていて、地球人と入れ替わっている」とかではなく、**魂が転生しているという意味**なのです。

現在ではオカルト・スピリチュアル著述家のブラッド・スタイガー[4]をおそらくはルーツとする「スター・ピープル」や「スター・シード」といった用語が多く使われますが、

これは地球に転生してきた宇宙人を指す言葉であり、その本質はアダムスキーと変わりません。

また、新型コロナワクチンを忌避する人の中に、「ワクチンを打つような人には使命があり、来世で他の惑星に転生する」と言っている人がいましたが、これもここまでの話の影響を受けていると考えられます。

1　1947年7月に起こったUFO墜落事件。米国ニューメキシコ州ロズウェルの牧場に空飛ぶ円盤が墜落し、その残骸が回収されたと言われるが、実際には気球を使ってソ連の核実験を探知しようとした「プロジェクト・モーガル」の気球だったという説が有力視されている。当初は「空飛ぶ円盤の墜落と残骸の回収」というシンプルな事件だったものの、後に空飛ぶ円盤そのものと宇宙人を見たという人物や、宇宙人が解剖された話を聞いた人物などが現れ、「政府は実は空飛ぶ円盤の回収に成功しており、宇宙人とも接触してそのテクノロジーを受け取っている」といったUFO陰謀論を生んだ。

2　宇宙人によって誘拐される「エイリアン・アブダクション」事件の先駆けとして知られる。1961年9月19日の夜、カナダでの休暇を終えニューハンプシャー州ポーツマスの自宅に帰る途中だったヒル夫妻は空飛ぶ円盤に遭遇した。夫妻は車で逃走し帰宅したものの、妻であるベティ・ヒルは後に空白の時間があることに気づくとともに繰り返し同じような悪夢を見るようになった。その夢は、夫妻は灰色の肌を持つ宇宙人に連れられて彼らの機体に搭乗し、別々の部屋でさまざまな検査を受けた後に帰されるというものだった。後に夫妻は催眠療法を受けて類似の体験を思い出したものの、夫妻の間で細部が異なっていた。

3　宇宙人によって構成されている団体。アダムスキーによれば、太陽系の地球以外の惑星は地球よりも高い進化段階にあると共に知的生命体が存在し、互いに協力し合っているという。

4　米国アイオワ州出身のオカルト・スピリチュアル著述家。古代宇宙飛行士説（太古の地球に宇宙人がやってきて人類や文明をつくったという説）を支持しており、宇宙人や超古代文明、アメリカ先住民の精神文化に関する著作がある。１９７６年の『Gods of Aquarius』という著作で、前世で他の星にいた「スター・ピープル（またはスター・シード）」という概念を提唱した。

古代に注目して新時代到来を予言した
ホゼ・アグエイアスの経歴と思想

⊗マヤ暦／2012年人類滅亡説／ノストラダムスの大予言

2009年に公開された、「2012」という映画がありました。監督は「インデペンデンス・デイ」や「GODZILLA」も手がけたローランド・エメリッヒ。

内容はというと、2012年に人類滅亡の危機が迫り、さまざまな危機を乗り越えて箱舟に乗り込んだ主人公たちが生き延びるという話でした。これは当時流行していた2012年人類滅亡説に乗った映画で、**「マヤ暦を西暦に換算すると2012年で終わっているため、人類は滅亡するのではないか」**という話がテレビや雑誌で紹介されていました。

私はというと、1999年にノストラダムスの大予言が外れたのをきっかけにオカルト信者からオカルト懐疑派に転向しており、横目で見ている程度でしたが案の定何も起きませんでした。

この、2012年という年に特別な意味を与えたのが、現代から離れた古代に目を向け、マヤ暦を研究していたホゼ・アグエイアスです。

⊗ホゼ・アグエイアス／神智学／占星術／チベット仏教／LSD／マジックマッシュルーム／『易経』

ホゼ・アグエイアス（1939－2011年）。マヤ暦を独自に解釈した。

ホゼ・アグエイアスはメキシコ人の父親とドイツ系米国人の母親を持つ人物で、プリンストン大学やカリフォルニア大学で美術史を教えていました。彼は第1章で触れたティモシー・リアリー（↓39ページ）やオルダス・ハクスリー（↓40ページ）といった人物に影響を受け、サイケデリックアートを描いていた人物でした（彼は1939年生まれで、1960年代に20代を過ごしたカウンターカルチャー直撃世代です）。

アグエイアスは1970年、カリフォルニア大学デイヴィス校で開催したホール・アース・フェスティバル（Whole Earth Festival、『ホール・アース・

カタログ』を思わせるネーミングです、↓45ページ）をきっかけに大学を追われます。

その後彼は神智学徒のアリス・ベイリー（↓77ページ）の弟子である占星術師のデーン・ルディア、米国で「金剛界センター」という瞑想道場を開いていたチベット仏教僧のチョギャム・トゥルンパ、LSDやマジックマッシュルームといった幻覚剤による神秘体験を追求し、中国の占術書である『易経』から2012年に大異変が起きるという結論を導き出したテレンス・マッケナといった人物の思想に触れ、独自のマヤ暦解釈をベースとしたニューエイジ思想家となります。

特に**マッケナが示した2012年という数字にアグエイアスもマヤ暦解釈によって到達したことは、彼に確信を与えました。**

⊗チャクラ／チャネリング／ハルマゲドン／13／ハーモニック／縄文時代／神道

ホゼ・アグエイアスの著書である『マヤン・ファクター』（邦訳版は1999年ヴォイスより刊行）には、2012年までに人類に秘められた精神的要素が開花し、新たな生物種に進化するとされています。人体にある7つのチャクラが覚醒することにより、誰でもチャネリングをはじめとした超能力を使えるようになるのです。

その一方、人類が精神的な次元上昇に失敗した場合は、『ヨハネの黙示録』が言うところのハルマゲドンが起き、地球の滅亡もありうるとしています。

彼はキリストと十二使徒を足した13という数字がバクトゥンというマヤ暦の単位の数と等しいことや、選民の数である14万４０００がバクトゥンに含まれる日数と同じことを指摘し、黙示録をマヤ暦と関係づけていました。

アグエイアスは１９８７年の16日と17日の間に14万４０００人がマヤの預言に耳を傾ければ精神的進化のサイクルに入れるとし、「ハーモニック・コンバージェンス」という大規模瞑想イベントを呼びかけます。これは今でもスピリチュアル界隈で行われる集団瞑想イベントの走りです。

また、「ハーモニック」(調波)という言葉はアグエイアス思想における重要な概念です。ハーモニックとはある種の波動で、これによって宇宙は成り立っているとされます。

マヤ暦に見られる約５１２５年の周期は、宇宙人が地球に向かって放射しているハーモニックビームの周期であり、このビームによって地球上の生命は進化してきたのです。

アグエイアスの思想を見てみると、単に「２０１２年にマヤ暦が途切れているので地球が滅びる」というだけではなく、神智学の影響と思われる**「霊的な次元の上昇」や**チャ

クラの覚醒、指導者たる宇宙人によって進化させられる地球上の生命といった「霊的に進んだものは尊い」という価値観がセットであることがわかります。

何気なく耳にする噂も、その先を辿っていくとスピリチュアルな系譜に繋がっていくことがあります。

そしてまた、**「古代の文明に物凄い力が秘められているのではないか」という期待は、日本では縄文時代や神道への興味として表れる**ことになります。

第4章 現代社会に潜り込んでいるニューエイジ

健康法・ダイエット法としてのマクロビオティックの裏側

⊗マクロビオティック／ニューエイジ／桜沢如一

ヒッピーやニューエイジャーたちの間で流行した思想に、マクロビオティックがあります。

マクロビオティックというとマクロビダイエットのイメージが強く、ニューエイジの思想として名前が挙がるのは意外に思われるかもしれません。しかしマクロビオティックは、創始者直系の普及団体である日本CI協会が刊行する『月刊マクロビオティック』の別冊、『マクロビオティックムーブメント』で、「ニューエイジムーブメントを推進したひと

桜沢如一（1893－1966年）。海外では「ジョージ・オーサワ」として知られる。

つの大きな要素に数えられて」いると書かれており、さらにボストンでマクロビオティックについての雑誌をつくっていた人たちが『ニューエイジ・ジャーナル』という雑誌を創刊したほどニューエイジと縁の深いものなのです。

その名前から海外発祥の雰囲気さえ感じられる**マクロビオティックは、桜沢如一《さくらざわゆきかず》という日本人が、石塚《いしづか》左玄《さげん》という軍医の食養論を発展させて生み出した**ものです。

明治時代、文明開化によって急速に浸透した西洋風の栄養論や食習慣、特に動物食に対して石塚は疑義を呈し、玄米食や菜食によって病気を治す食養法を提唱します。つまり、**マクロビオティックはその源流からして西洋へのカウンターだった**のです。

1907年にはこの食養法を普及する「食養会」が結成されますが、ここに入会していたのが桜沢如一でした。

石塚の食養論における中心概念は身土不二《しんどふじ》、穀物食、一物全体、夫婦アルカリ論（食事におけるナトリウムとカリウムのバランスが崩れると病気になるという説）の4つでしたが、桜沢はこのうち夫婦アルカリ論を陰陽調和（中国の易における陰陽理論）に置き換え、さらにこの陰陽調和が食事のみならず万物に適用できるとする無双原理を唱えました。

⊗身土不二／穀物食／一物全体／陰陽調和／無双原理

マクロビオティックの中心理論を簡単に見ていくと、まず「身土不二」とは身体と環境を切り離すことはできないというもので、たとえば熱帯の作物は暑い場所での食生活に、寒帯の作物は寒い場所での食生活に適していると考えます。このため日本においては伝統的に行われてきた米食中心の食事が好ましいとされます。

次に「穀物食（穀物中心）」は人間の歯の構成から「人類は穀食動物である」とし、穀物を中心に食べるべきであるとする考え方です。この説では、人間の歯における臼歯と切歯と犬歯の比が20：8：4であり、この比率で穀物、野菜、肉を食べるのが自然であるとされます。

「一物全体」とは、何でもまるごと食べるのが好ましいという考え方です。といっても、これは食物繊維やビタミンといった栄養面から出てきたものではないので注意が必要です。

「一物全体」とは一種の全体論・ホーリズムで、自然や生命の全体性を重視する立場から来ています。

たとえば、私たちの身体は腕や心臓といったパーツだけで生きられるわけではなく、すべてが揃って初めて生きていけます（片腕がなくても生きていけるじゃないか、といった批判もあるでしょうが一旦忘れてください）。このように、「部分を集めただけでは全体にならず、それぞれが調和して初めて発揮される力」を重視するため、まるごと食べるのが良いとされるのです。

そして、「陰陽調和」がマクロビオティックで最もよく聞かれる理論です。桜沢は、石塚の夫婦アルカリ論に中国の陰陽説を適用し、ナトリウム塩は収縮力と硬化力を持つ「陽」、カリウム塩は軟化力と伸展力を持つ「陰」に当たるとしました。マクロビオティックで、食材が陽性とか陰性に分類されているのはこのためです。

そしてこれを自然法則にまで展開したのが「無双原理」で、ヒッピーやニューエイジャーに多く読まれた『ゼン・マクロビオティック』（日本ＣＩ協会）には、「すべての物や現象は、異なる比率の陰と陽によって構成される」「すべての物や現象は、たえまなく陰と陽の構成を変えている。あらゆるものは常に動いている」といった「無双原理の十二定理」が書かれています。

ここまで見てきただけでも、**一般的にダイエット法や健康法として受け取られているマクロビオティックの食事法が、栄養学ではなく東洋思想を根拠にして主張されている**ことがわかります。当初とはかなりイメージが変わった方もいるのではないでしょうか。石塚左玄の運動自体が西洋から入ってきた栄養学や食習慣に対抗するものだったため、現代栄養学とは違った原理で成り立っているのは当然といえば当然です。

そして、この**反西洋的な面はニューエイジと相性がよく、ヒッピーやニューエイジャーに広まっていきました。**

⊗反加工食品・反農薬・反西洋医学／ヒッピー／7号食

ここからは、ヒッピーに読まれた入門書、『ゼン・マクロビオティック』を参照しながら、その内容と展開について簡潔にまとめます。書名にある「ゼン」はそのまま仏教の「禅」のことであり、ここからしてすでに東洋思想好きなヒッピーやニューエイジャーたちに訴えかけるものがあります。

内容も、冒頭から「東洋古来の哲学」「禅寺の食事法であり本来の精進料理」といった表現がたびたび見られ、「まだ見ぬ東洋から何かすごい思想と健康法がやってきた」と期待させるに十分です。

食事の際の指針については、同書に12項目の注意事項が掲載されていますので引用してみます。

1. 砂糖、甘味飲料、着色食品、無精卵、カンづめ、ビンづめなどの工業的な食品を食べないこと。
2. すべての料理は、マクロビオティックの料理本を参照すること。
3. 陰陽無双原理の理解が深まり、健康と幸福が身についてきたら、前期の表のより下の段階を（筆者注：115ページを参照）、ゆっくり、注意深く試してみなさい。ただし、それはあなたが旺盛な研究心と冒険心を持っている場合です。そうでないなら危険のない三号食（筆者注：穀物60％、野菜30％、汁物10％）以上のいずれかの食事を好きなだけ続けてかまいません。もしなかなか良くならない場合は、七号食（筆者注：穀物100％）を一～二週間から数か月ほど続けてみなさい。
4. 化学肥料や農薬で人工的に生産された野菜や果物は、いっさい食べないこと。

5. 遠方から来た食物は非常に有害な保存料を添加してあるので、いっさい食べないこと。
6. 季節はずれの野菜は、いっさい用いないこと。
7. 極陰性の野菜であるジャガイモ、トマト、ナスは、絶対に避けること。
8. 香辛料や化学調味料（市販の醤油や味噌にはたいてい添加されている）を取らないこと。自然海塩やマクロビオティックの醤油や味噌を用いるとよい。
9. コーヒーを止めること。発ガン性のある着色したお茶を用いないこと。市販されているものの大部分がこれである。番茶や中国茶（無着色のもの）なら用いてもよい。
10. 鶏肉、豚肉、牛肉、バター、チーズ、ミルクなどの動物性食品は、すべて化学的に生産または加工されているので、避けること。野鳥や新鮮な魚介類ならあまり化学的に汚染されていないので、たまには用いてもよい。
11. イーストは、『オックスフォード英語辞典』に定義されているように、「麦芽汁やその他の糖質の液体をアルコール発酵させる過程で、泡や沈殿物として生産される黄褐色の物質」である。つまり、イーストは糖質を基材としたものであるから、少ししか食べてはいけない。

12. ベーキングソーダ（ふくらし粉）を含んだ焼き物は用いないこと。これは練り物を急速に膨張させるものだから、健康的な、調和のとれた食品としては陰性すぎる。

加工食品や農薬の忌避、肉を避ける点（ヴィーガン食に関連して語られることがあるのもこのためです）、東洋思想と**ヒッピーの好きな要素が多く含まれている**ことがわかります。

これは現在の自然派志向とも共通する要素で、さらに『ゼン・マクロビオティック』では西洋医学を忌避する傾向も見られます。繰り返し西洋医学が批判され、**マクロビオティック食ですべての病が治る**とされるのです。

たとえば、次のような具合です。

マクロビオティックは、身体の健康を回復すると称しながら、数限りない新薬と外科手術によって、かえって病人を増大させている現代医学のやり方とはまったく異なるものです。

私は、インドとアフリカのジャングルで三年ほど過ごしましたが、サルやワニや

食の十段階図

	主菜 穀物	副食			その他		飲み物
		野菜の煮付け	スープ 味噌汁	動物性	果物 サラダ	デザート	
7号食	100%	─	─	─	─	─	なるべく少なく
6号食	90%	10%					
5号食	80%	10%	10%				
4号食	70%	20%	10%				
3号食	60%	30%	10%				
2号食	50%	30%	10%	10%			
1号食	40%	30%	10%	15%	5%		
-1号食	30%	30%	10%	20%	10%		
-2号食	20%	30%	10%	25%	10%	5%	
-3号食	10%	30%	10%	30%	15%	5%	

ヘビやアリやゾウたちは、不幸や病気になったり、カネのために働いたりしませんでした。

七号食を実行するなら、ほかの特別な手当はいっさい無用です。

『ゼン・マクロビオティック』では、他にもナトリウム→カリウムへの低エネルギー元素転換に成功した、したがって生物も元素転換を行っているはずとも書かれており（もしもこれが本当であれば錬金術が可能ということになります）、少なくとも当時のマクロビオティックはかなり強い自然信仰を含んでいることがわかります。

⊗ジョン・レノン／マドンナ／トム・クルーズ／ジョン・トラボルタ／逆輸入

マクロビオティックは創始者の桜沢如一がもともと貿易商で欧米に通じており、パリで活動する（海外での活動時はジョージ・オーサワと名乗っていました）など当初から国際展開に積極的でした。その展開先はフランス、ベルギー、インド、ベトナム、ブラジル、米国など多岐にわたります。

特に米国では久司道夫《くしみちお》[1]やヘルマン相原[2]によってヒッピーへの普及が行われ、ジョン・レノン、マドンナ、トム・クルーズ、ジョン・トラボルタといった（最後の2人からある宗教団体を思い浮かべる方もいると思いますが、この団体もニューエイジについて調べていると名前が出てくるものです）セレブリティによって支持され、その人気を高めました。

1978年に米国で設立された普及団体であるクシインスティテュートは2002年には日本でも活動を始め、2000年以降のマクロビオティック展開の旗手となります。

岡田周三《おかだしゅうぞう》[3]や大森英櫻《おおもりひでお》[4]など、日本でマクロビオティックを継承してきた人たちもいますが、**現在の日本でよく見られるのは、マクロビオティックが海外から逆輸入されたという面も大きい**のです。

このように、**単なる健康法やダイエット法として扱われているものも、少し調べるとニューエイジ思想が隠れています。**

1　和歌山県出身のマクロビオティック普及者。桜沢如一の下でマクロビオティックを学んだ後、1949年に米国へ渡ってマクロビオティックの普及に努めた。マクロビオティックを発展させた久司マクロビオティックを提唱し、1978年に設立した普及団体「久司インスティテュート」は米国だけでなく世界へマクロビオティックを普及させる活動を行った。

2　米国でマクロビオティック普及運動を行っていた人物。桜沢如一とともに1971年に普及団体「GOMF」を設立し、主に東海岸で活動した久司に対して西海岸での普及に貢献した。

3　マクロビオティック普及団体である「正食協会」の二代目会長。桜沢如一が世界旅行に出発した間に国内での活動が衰退したため、1957年に正食協会の源流である「食養新生会」を立ち上げた。1958年には機関紙である「健康と平和」を創刊し国内での普及活動を行った。

4　静岡県出身のマクロビオティック普及者。多くの病人と交流する中で完全穀物菜食である「正食」が理想的な食事であるという考えに至り、1995年に普及団体である「宇宙法則研究会」を設立した。

企業でも受け入れられるようになった超越瞑想と、その真の目的

⊗超越瞑想／潜在意識／潜在能力／マハリシ・マヘシ・ヨギ

東洋の修行法から宗教色を薄め、科学的な分析も取り入れることによって産業界に接近するものが１９６０年代からすでに現れていました。

超越瞑想です。

超越瞑想は導師からもらったマントラを唱えながら行う瞑想法で、これを朝夕2回、20分ずつ行います。こうすることで実践者の意識は眠り、夢、覚醒に続く第四の意識状態、「安らぎの鋭敏さ」の状態になるとされ、**通常は意識できていない潜在意識の深い層まで意識化することによって心の潜在能力を開発できる**とされます。

超越瞑想はインド出身のマハリシ・マヘシ・ヨギによって提唱され、広められました。マハリシはインドのシャンカラーチャーリヤ（ヒンドゥー教シャンカラ派の指導者）、スワミ・ブラーマナンダ・サラスワティに仕えていた人物で、超越瞑想はそこで学んだヴェーダー

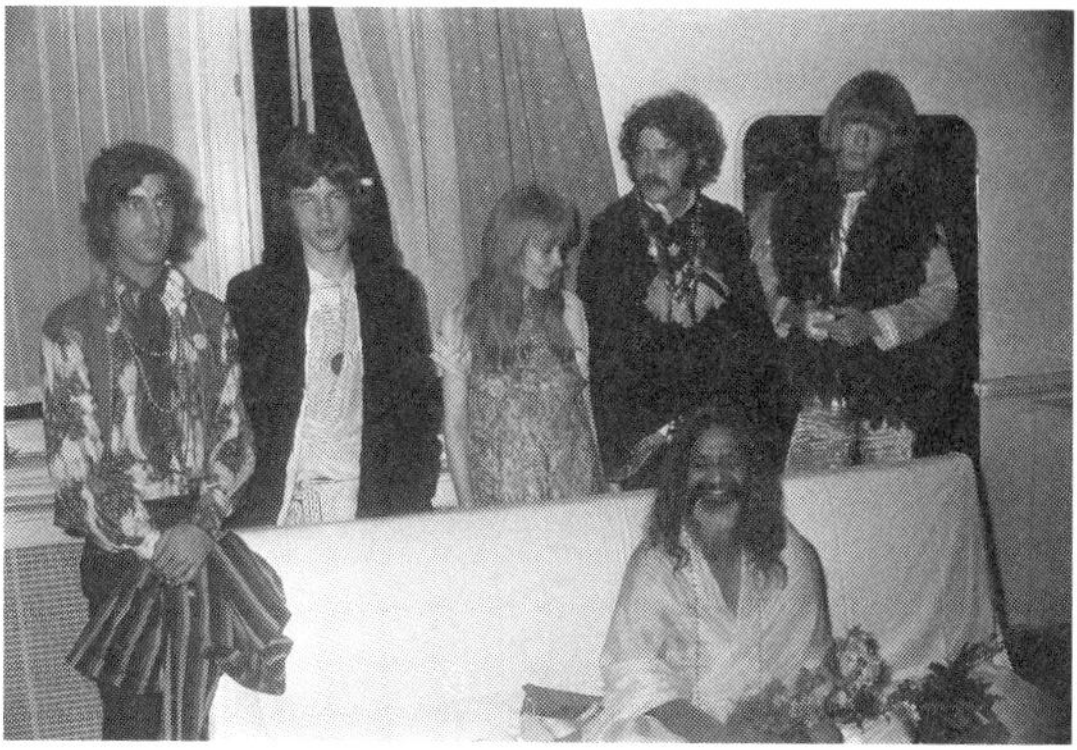

マハリシ・マヘシ・ヨギ（右下）と
ミック・ジャガー他、1967 年。

ンタ哲学[1]がベースになっています。

彼はまたイラーハーバード大学の物理学科を卒業していることもあり、その著作では相対性理論や素粒子物理学といった物理学の概念も説明に使われます。

師のサラスワティが別の弟子を後継者に指名したため、マハリシは1958年に「精神復活運動」を開始し、国際的な超越瞑想の布教を開始しました。

⊗ビートルズ／ジョージ・ハリスン／ビーチボーイズ／デヴィッド・リンチ

マハリシは、1961年にはイギリス経済科学協会のリーダー、レオン・マクラーレンの協力で初の世界会議を開催しています。

超越瞑想はヒッピーにも受け入れられ、1967年にはビートルズがマハリシの瞑想講義を受け、翌年にはインドのアシュラムに滞在して超越瞑想に励むとともに音楽制作を行いました。このときつくられた曲はホワイト・アルバムに収録されています。

ビートルズはその後マハリシの元を離れますが、ジョージ・ハリスンは同じくマントラを唱えることで有名なクリシュナ意識国際協会に接近し、1969年には「Hare Krishna Mantra」がイギリスでチャート入りしました。

またビートルズの他、ビーチボーイズも超越瞑想を取り入れていたグループの1つで、長く実践しているメンバーがいます。

超越瞑想の影響はさらに映画業界にも及び、特に「エレファント・マン」や「ツイン・ピークス」で知られるデヴィッド・リンチ監督は、超越瞑想普及のための財団である「デヴィッド・リンチ財団」を設立しています。

⊗企業社会

超越瞑想の特徴は、ヒッピーだけでなく、彼らが対抗していたはずの企業社会にも取り

入れられたことです。

超越瞑想では脳波や皮膚抵抗といった科学的な分析が行われ、知能や学習能力の増大、人間関係の改善、業務生産性の改善、ストレスの軽減といった企業社会で役立つ効果が謳われたことから、企業研修として取り入れられました。

産業界に取り込まれたオカルトやニューエイジについて取材した斎藤貴男『カルト資本主義　増補版』（ちくま文庫）では、日本でも稲盛和夫氏をきっかけに京セラ、トヨタ自動車、住友重機械工業、ＮＥＣといった名だたる企業に取り入れられていたことが記述されています。

カウンターカルチャーから発展したニューエイジからは、その当初の性質とは異なり、企業社会にも親和的なものが生まれたのです。

⊗空中浮揚／麻原彰晃／yogic flying／世界平和／地上の楽園／マインドフルネス

とはいえ、超越瞑想にスピリチュアルな面がまったくないわけではありません。

超越瞑想には「ＴＭシディ・プログラム」という上級プログラムが存在します。これがどういうものかというと、ヨガ風に足を組んで座った状態から空中浮揚を行うものです。

ある年代以上の方であれば麻原彰晃の空中浮揚を連想すると思いますが、超越瞑想のそれは若干異なり、浮揚というよりはジャンプに近いものです。今でも動画サイトで「yogic flying」と検索するとピョンピョンと飛び跳ねる外国人の動画を見ることができますが、これはただのジャンプではありません。超越瞑想では、これで世界が変わるとされているのです。

マハリシ総合研究所による『超越瞑想入門』（読売新聞社）には、TMシディ・プログラムの実践者を1万人、1カ所に集めることで世界の集合意識に強力なサットヴァ（調和）を生み出すことができ、地球規模の「マハリシ効果」を起こすことによって世界平和が実現すると書かれています。

そして、これに続いて国民の1％の平方根に相当する数のシッダ（TMシディ・プログラムの実践者）たちを各国に集める段階、「都市人口の1％の平方根に相当する数のシッダたちを各都市に集める段階」を達成することで世界中の都市に平和が訪れ、世界平和が永遠のものとなるとされます。

さらには、世界人口の1％の平方根の人たちが世界の集合意識にマハリシ効果を生み出すことで、それが世界に波及し、マハリシの提唱するヴェーダ科学による教育、医学、政府、防衛、農業、経済が行われる「地上の楽園」が成立するという構想も記載されており、ここには神秘主義的なユートピア思想が見られます。

このように、宗教的な思想（超越瞑想の場合はかなり壮大な構想も掲げられています）から瞑想技術を取り出して企業向けに活用する試みは、昨今のマインドフルネスが最初というわけではなく、ニューエイジの流行期からすでに行われていました。

米国西海岸のＩＴ企業で瞑想が行われる様子は、ニューエイジを知っていると超越瞑想の再来のようにも見え、実際に超越瞑想側からマインドフルネスと超越瞑想の比較が行われてもいます。

それでは、マインドフルネスはどのような背景を持っているのでしょうか。

1　インド哲学の主流をなす一派。個人の本体であるアートマンと宇宙の根本原理であるブラフマンとは同一であり、それ以外は実在しないとする不二一元論が有名。

超越瞑想とマインドフルネスの共通点と違い

⊗マインドフルネス／Google／鈴木大拙／鈴木俊隆／道元／静座瞑想法／ヨガ瞑想法

超越瞑想と同様に産業界に受け入れられ、近年急速に知られるようになったマインドフルネス。

マインドフルネスとは「今ここに集中し、かつリラックスしている状態」や「意図的に、批判・判断することなく、今の瞬間に注意を向けることから浮かんでくる気づき」を指します（『シリコンバレー式　頭と心を整えるレッスン』木蔵シャフェ君子、講談社）。

そして、これを実現する方法として有名なのがマサチューセッツ大学医学大学院教授のジョン・カバット・ジンによって開発された「マインドフルネスストレス低減法（ＭＢＳＲ）」です。

カバット・ジンは１９７９年にマサチューセッツ大学医学部内にストレス低減センターを設立し、慢性疼痛《とうつう》や高血圧、不安、パニック障害などにＭＢＳＲを適用していました。

ＭＢＳＲはその後認知療法の研究者であるジョン・Ｄ・ティーズデールらによって認知療法に応用されて心理療法の分野でも有名になりますが、２０１０年前後からシリコンバレーのＩＴ企業で流行したために一般にも知られるようになりました。

このブームを牽引したのはGoogleで検索エンジンのアルゴリズム制作チームを率いていたチャディー・メン・タンで、彼はGoogleの20％ルール（就業時間の20％を業務以外のプロジェクトに使えるルール）を活用して独自のマインドフルネス研修、サーチ・インサイド・ユアセルフ（ＳＩＹ）をつくり上げました（何ともGoogleらしいネーミングです）。

このとき協力した人物には、先ほどのカバット・ジンの他、禅師のノーマン・フィッシャーやＥＱの研究で知られるダニエル・ゴールマンが含まれます。

ＳＩＹは２００７年からGoogle内で教えられていましたが、タンは２０１２年にＳＩＹを普及させる「ＳＩＹＬＩ」という組織も立ち上げ、西海岸を中心に広がっていきました。

カバット・ジンがＭＢＳＲについて記述した『マインドフルネスストレス低減法』の邦訳版（北大路書房）には、「日本の読者の皆さんへ」というメッセージがあり、彼はこの中で、鈴木大拙や鈴木俊隆（↓80ページ）、道元について触れています。

これはただのサービスではなく、MBSRは禅やヨガの瞑想法をストレス低減に応用したもので、マインドフルネスは仏教におけるサティを英訳したものです。

その内容を見ると静座して呼吸に意識を集中することから始まる「静座瞑想法」や、ヨガの姿勢で瞑想を行う「ヨガ瞑想法」などが含まれています。

⊗デジタルデトックス／カリフォルニアン・イデオロギー／ハッカーカルチャー／GAFA

東洋の瞑想法から生まれ、仕事のパフォーマンスやストレスマネジメントのために企業の研修に取り入れられているという点で、超越瞑想とマインドフルネスはよく似ています。

しかし大きく異なるのは、宗教的な部分に関する両者の姿勢です。超越瞑想はマハリシ・マヘシ・ヨギというインドのグルによって提唱されたため、表向きはトレーニング法に見えても、その奥には宗教的な部分が色濃く残っていました。

一方マインドフルネスは、医学者によって生み出され、意識的に宗教的な部分が除外されています。カバット・ジンは、**瞑想の本質は宗教を超えた普遍的なものであり、とりたてて東洋の文化や仏教を持ち出す必要はない**と言っています。この宗教やスピリチュアルを明示的に除外する方針が、現代のエンジニアに支持される理由の1つと考えられます。

マインドフルネスは流行しているだけに、瞑想繋がりでスピリチュアル系の人が持ち出す一方、「科学であってスピリチュアルではない」と主張するマインドフルネスの支持者も見られます。

ここから考えられるのは、ヨガや瞑想ビジネスのターゲットとなる人々に、これまで見てきたようなスピリチュアルな自然派で反近代合理主義、もっと言えば反科学技術な層とは異なる層が存在するということです。

スピリチュアルな面に関心が強い人たちがメインターゲットであれば、むしろ「スピリチュアルです」とやったほうがいいはずです。しかし、マインドフルネスはエンジニアやビジネスパーソンを中心に広がっており、こういった人々が瞑想を行うのは仕事や生活の充実のためであって、「集団瞑想に参加することでスピリチュアルな次元上昇を行うため」ではありません。

また、エンジニアが含まれることからもわかるとおり、科学技術には親和的です。日本初のSIY認定講師である木蔵シャフェ君子の『シリコンバレー式　頭と心を整えるレッスン』には、自然豊かなリトリート施設でデジタルデトックスを行うシリコンバレーのビジネスパーソンが取り上げられていますが、当然ですがデジタルデトックスを行うのは

ITが嫌いだからではありません。ITの恩恵を受けながらも、たまに離れる時間を設けることで心身にポジティブな影響があるからです。

このような層から連想されるのはヒッピーとヤッピー（都市部の専門職で高給を得る若者）の融合と言われたカリフォルニアン・イデオロギーや、ハッカーカルチャーです。

こうした思想を形づくる人々は、**既存の体制や保守的な価値観からは自由になろうとしますがテクノロジーは大好きで、むしろ科学技術によって既存の体制を打破しようとします。**さらに資本主義や市場経済を否定することはなく、ITの普及によって会社が成長して億万長者になる人々も現れました。**カウンターカルチャーはニューエイジも生みましたが、ハッカーカルチャーもまた生み出しました。**

GAFAが世界を牛耳っているとまで言われることを考えれば、「**新しい世界**」**をニューエイジが待っている間に、テクノロジーやハッカーが時代を変えてしまった**のかもしれません。

こうした状況から、科学技術の発展を極限まで加速することでスピードの向こう側に到達し、新しい世界が開けるのではないかと考える人たちが10年ほど前から現れていますが、これについてはまた別の機会にまとめたいと思います。

ニューエイジの思想と繋がる民間療法

⊗民間療法／代替医療／補完代替医療／手かざし

スピリチュアルな新時代を目指したニューエイジでは、現代の科学的治療とは異なる民間療法も盛んに取り入れられました。

本書では日常生活で聞く機会の多い言葉を取り上げるため「民間療法」と記しましたが、標準治療とは異なる治療を指す場合には代替医療、あるいは補完代替医療という言葉もよく使われます。

民間療法とスピリチュアルは一見結びつかないかもしれませんが、治療にあたって「現代科学では証明されていない理論」や「目には見えない力」が持ち出される点、また新宗教の世界にも世界救世教[1]や世界真光文明教団[2]といった「手かざし系」が存在することを考えれば、ニューエイジやスピリチュアルの大きな部分を占めていることが理解できるのではないでしょうか。

本節ではニューエイジ運動によって盛んになった民間療法についていくつか見てみましょう。

⊗ホメオパシー／レメディ／疑似科学

まず取り上げたいのはホメオパシーです。

「同種療法」とも言われるとおり、これは**「ある症状を引き起こす物質を薄めると薬になる」という考え方を中心とした民間療法**です。つまり、何かの毒を飲んでしまった場合に、その毒を物凄く薄めて飲むと治るという理屈です。

ホメオパシーでは薄めれば薄めるほど良いとされ、また衝撃を与えることで効力が高まるという考え方もあり、振盪《しんとう》しながら希釈が繰り返されます。

どのくらい希釈されるかというと、たとえばレメディ（希釈液を染み込ませた砂糖玉）の販売サイトでよく見かける「30Ｃ」は「100倍希釈を30回繰り返したもの」という意味です。つまり、100倍×100倍×100倍……とこれが30回続くのですから、100の30乗＝10の60乗、10000……と0が60個続く数だけ希釈していることになります。

さて、化学で使われる数に「アボガドロ定数」というものがあります。これは原子や分子の個数を表す「mol（モル）」という単位の基準として使われる数です。原子や分子をアボガドロ定数個集めたものが1molで、このときの重さが原子量や分子量（厳密にはモル質量）になります。たとえば原子量12の炭素をアボガドロ定数個集めると12gになります。アボガドロ定数は約6・02×10の23乗ですから（このため10月23日が化学の日ということになっています）、先ほどの30C＝10の60乗希釈となると、**元の分子が1個も入っていないと考えるのが妥当**です。

ホメオパシーでは30Cを超える200Cというレメディもよく見られます。何しろ薄めれば薄めるほど効果が高いのです。

常識的に考えれば、薬になるであろう物質がまったく入っていないような水や砂糖玉が影響を与えるとは考えづらいですが、**ホメオパシーでは「水が記憶しているから」と説明され、また別の疑似科学である波動と合体している**こともあります（このせいか「パソコンやテレビなど電磁波の強い場所の近くにレメディを置かないこと」という注意書きがされている通販サイトもありました）。

水が記憶しているならレメディに使われる前の記憶も持っていなければおかしいと思い

ますが、ここではとにかくそういうものとして置いておきましょう。

⊗反西洋医学／反大手製薬企業／英雄的治療／アーユルヴェーダ／般若心経／祝詞

ホメオパシーが生まれたのは18世紀末のドイツで、サミュエル・ハーネマンという医師によって提唱されました。

ハーネマンはある時、健康な状態でマラリアの治療薬として使われていたキニーネを飲んだところ、マラリアのような症状が出るという経験をします。彼はここから「**健康な人が薬を飲んだら病気の症状が出るということは、健康な人を病気のような症状にする物質（つまり毒）は薬として使えるはずだ**」と考え、ホメオパシーの理論をつくり上げていきました。

希釈のレベルを考えればただの水や砂糖玉に思えるホメオパシーですが、一時は爆発的な普及を見せ、ドイツからヨーロッパ、米国と広がっていきます。

現在からするとなぜ流行したのかピンときませんが、実はハーネマンがホメオパシーを生み出した時代の医学は未熟で、水銀やヒ素を投与したり、瀉血《しゃけつ》（血液を抜く行為）を行う「英雄的治療」が行われていました。

この頃は主流の医学に頼るよりも、自然治癒を待ったほうが経過が良いということが十分にあり得たのです。

しかしながらワクチンの発明や殺菌消毒、病原菌説の確立といった医学の進歩によってホメオパシーは1920年代には衰退します。

ところが、戦後になってホメオパシーは復活することとなります。ここでも登場するのがニューエイジです。実はホメオパシーは1820年代にインドに持ち込まれてから急速に普及・定着しており、これが1970年代にアーユルヴェーダ[3]とともに西洋に輸出されたのです。

サミュエル・ハーネマン（1755－1843年）。ハーネマンの時代にはホメオパシーにも利点があった。

ヒッピーがホメオパシーを好んだのはもちろん、「反西洋医学」かつ「反大手製薬企業」な「自然な治療」としての意味を見いだしたからで、さらに言うとインドでホメオパシーが流行したのもイギリスの医療に対抗するためでした。

民間療法が、「効果が高いから」というより、

ホメオパシーの成分を扱う薬剤店（インド）。

「主流の医療に対抗できるから」受け入れられてきたことがよくわかります。

⊗ビタミンK／反ワクチン

ただの水や砂糖玉を摂取するだけならあまり害はなさそうですが、ホメオパシーにのめりこむあまり、「標準医療を嫌悪する」ようになってしまうと悲惨な結果を招く可能性もあります。

2009年、山口県で生後2カ月の女児が硬膜《こうまく》下《か》血腫《けっしゅ》で死亡する事件がありました。硬膜下血腫の原因はビタミンK欠乏症で、実はホメオパシーを支持していた助産師（この助産師はホメオパシー団体に所属していました）がビタミンKの代わりにレメディを与えていたのです。そして、母子手帳に「ビタミンK投与」と虚偽の記載をしていました。

助産師であればビタミンKの重要性を知らなかったはずはありませんが、ホメオパシー団体の代表は「レメディはビタミンKと同等の効果がある」と主張しており、この助産師は**ホメオパシーの理論を本気で信じてしまったために女児を死なせてしまった**ものと考えられました。

ホメオパシーでは「般若心経《はんにゃしんぎょう》」や「祝詞《のりと》」といったレメディも見られ（どうやって希釈するのか謎ですが、おそらく波動の転写と混ぜているのでしょう）、治療というよりスピリチュアルの世界になっています。

さらにはホメオパシー団体が反ワクチン的な主張を展開していることもあります。

もちろん、「標準医療には頼らない」というのも個人の思想の自由ですが、他人の命に関わる場合はよく考えたほうがいいのではないでしょうか。

⊗レイキ／鞍馬山／断食修行／伝統霊気／GHQ

次に取り上げたいのはレイキです。

レイキとは施術者が患者の身体に手を当てて「霊気《れいき》」というエネルギーを送る、手当て療法やエネルギー療法と呼ばれる民間療法の一種です。

レイキは臼井甕男《うすいみかお》という人物が１９２２年に鞍馬山で断食修行をしていたときに感得した治療法で、臼井は東京で「臼井霊気療法学会」という組織をつくりレイキを普及させていきました。

レイキは戦後ＧＨＱ[4]に禁止されたことから一気に衰退しますが、**臼井霊気療法学会は、入会は紹介者のみ、治療を受けられるのも会員とその家族のみというクローズドな状態で現在も存続しています。**

また、臼井の直弟子である林忠次郎からレイキを学んだ山口千代子がその技法を復活させた「直傳靈氣《じきでんれいき》」もあり、このように日本国内で受け継がれてきたレイキの流派を伝統霊気と呼びます。

⊗西洋レイキ／オーラ／チャクラ／逆輸入

伝統霊気が国内で細々とその技法を受け継いできた一方で、レイキは海外にも普及しており、これが現在主流になっている西洋レイキと呼ばれる流派です。

林忠次郎が治療した人物の中に、高田ハワヨという人物がいました。彼女はハワイ出身の日系人で、林の治療を受けたのをきっかけにレイキを学び、1935年に師範の資格を授与されます。高田は長く施術を主として活動していましたが、70年代から後継者の育成を開始し、22人の直弟子が生まれます。

ここからニューエイジの勢いに乗ってレイキが普及していきました。ニューエイジらしく、西洋レイキには伝統霊気にはないオーラやチャクラが導入されています。

その後、80年代にジャーナリストの三井三重子という人物によって西洋レイキが日本に持ち込まれ、90年代には北海道で活動していたドイツ人のフランク・ペッターが指導者講習を開始したことから各地にスクールが設立されていきました。

ここでも、**ニューエイジによる海外での流行と逆輸入という図式が見られます。**

⊗手かざし／セラピューティック・タッチ／神智学／プラシーボ効果／神世界事件

また、手当てではなく「手かざし」を行う療法

臼井甕男（1865－1926年）。京都鞍馬山での断食修行中にレイキを感得した。

としてセラピューティック・タッチというものがあります。

これはアメリカ神智学協会会長も務めた神智学者のドラ・クンツ（スピリチュアルな背景があることがわかります）とニューヨーク大学看護学部教授だったドロレス・クリーガーによってつくられたもので、手かざしによって身体のエネルギーバランスの乱れを感知し、整えるというものです。

セラピューティック・タッチについては興味深い実験があります。

１９９８年に『米国医師会雑誌（ＪＡＭＡ）』に掲載された「A close look at therapeutic touch」という論文に、セラピューティック・タッチの効果を検証するシンプルかつ効果的な実験の結果が記載されました。

この実験を行ったのはエミリー・ローザという女性で、実験当時は9歳の小学生でした（検証を行ったのは小学校の理科研究発表会で発表するためでした）。彼女は2つの穴が空いた衝立を制作し、その穴からヒーラーの両手を出させました。そして、ヒーラーから手元が見えない状態で左右のどちらかの手の上に自分の手をかざし、どちらを選んだかを答えてもらいました。

もしもヒーラーが「身体のエネルギー」を感知できるなら高い確率で当てられるはずで

す。**ところが正答率は44％で、ランダムに選んだ場合よりも低い確率が出てしまいました。**

こうしてセラピューティック・タッチの理論は否定されてしまいましたが、会話や手かざしによって「癒し」が得られること自体は否定できません（これはもちろんエネルギーが働いているわけではなく、リラックス効果やプラシーボの一種です）。

しかし、日本においては第8章で取り上げる「神世界事件」（↓294ページ）も起きているため、怪しい業者でないか気をつけたほうがいいでしょう。

⊗カイロプラクティック／磁気治療／スピリチュアリズム／ケイティ・メイ死亡事件／ニューエイジ／ヒーリング／マルチ商法

最後に取り上げたいのはカイロプラクティックです。

カイロプラクティックを行う治療院は街中でもよく見られ、「何となくマッサージのようなもの」と認識されている方は多いと思います。日本カイロプラクターズ協会では「カイロプラクティックは身体の構造（特に脊椎）と機能に注目した手技療法を特徴とするヘルスケア（医療）」としていますが、これは19世紀の終わり頃、ダニエル・デヴィッド・パーマーというアイオワ州ダベンポートで磁気治療（これも民間療法の1つで、第5章で触れるニューソートにも関係します）を行っていた人物によって創始されました。

パーマーはある日、17年間耳が聞こえない患者に接し、その原因が背骨のずれにあると考えました。そこで患者の首の後ろを強く押し込んだところ、何と聴力が回復してしまいました。ちなみに、耳からの信号を伝達する神経は首の後ろを通っていません。

ダニエル・デヴィッド・パーマー（1845－1913年）。スピリチュアリズムを信仰していた。

ともかくこれでひらめいたパーマーは、あらゆる病気の原因が背骨のずれであると考えました。

彼によれば、イネイト・インテリジェンスという生命エネルギーが脳に存在し、それが身体に行き渡っている間は健康で、そうでない場合に病気になるというのです。

パーマーはスピリチュアリズムを信仰しており、カイロプラクティックについてもジェームズ・アトキンソンという医師と交信し、異世界からメッセージを受け取ったとしていました。

一見単なる健康法やマッサージ法に見える民間療法の背景に、スピリチュアルな思想が横たわっている良い例だと思います。また、カイロプラクティックにも健康被害の例があります（『PLAYBOY』モデルが死亡した「ケイティ・メイ死亡事件」[5]が有名です）。

民間療法は健康食品やアロマといった、健康や癒しに繋がる製品をよく取り扱うマルチ商法と相性がよく、さらにはその「大企業の大量生産品とは違って普通のお店では売っていない」特徴も、「大企業の工業生産を嫌い、また隠された何かにはすごい効果があるのではないかと期待する」ニューエイジの精神性と合致します。

こうしてみると、**自然派やヒーリングを取り扱っている人がマルチ商法の販売員でもあるパターンはむしろ自然なこと**に思えます。

これとは逆に、ヒーラーの方が「やはり大手メーカーの効率的生産が一番、コストパフォーマンスを追求します」などと言っていたらかなり違和感があることでしょう。

1　1935年に岡田茂吉によって立教された宗教団体。本部は静岡県熱海市。「浄霊」と呼ばれる手かざし行為や自然農法を推進しているのが特徴。また芸術活動にも力を入れており、箱根美術館やMOA美術館を所有している。分派教団である神慈秀明会も同様に浄霊を行うことで有名であり、一時は街頭で活発に勧誘を行っていた。

2　1959年に岡田光玉によって立教された宗教団体。本部は静岡県伊豆市。「真光の業」と呼ばれる手かざし行為で有名。岡田の死後、後継者争いによって養女の岡田恵珠が独立した崇教真光も同様に手かざしを行う宗教団体として有名。

3　インドで伝承されてきた医学体系。ヴァータ（風＝運動エネルギー）、ピッタ（火＝代謝エネルギー）、カパ（痰＝結合エネルギー）という3つのドーシャ＝生命エネルギーのバランスが崩れると病気になるというトリドーシャ説を基本とし、それぞれのバランスを整えるための瞑想や食事、ハーブ療法といった治療法を持つ。

4　連合国軍最高司令官総司令部の略称。1945～1952年にわたって日本を実質占領していた。戦後日本のシステムに大きく影響を与えたため陰謀主体とされることも多い。その陰謀論についてここでは個々に論じないが、筆者の見解としてはGHQが検閲やプロパガンダを行ったことは事実であるものの、「日本が立ち直れないようにする悪意があった」「当時のプロパガンダによる洗脳が戦後日本の文化や政治を規定し続けている」というような解釈には飛躍があると考える。

5　『PLAYBOY』誌のモデル、ケイティ・メイが脳卒中によって急死した事件。撮影中に首の痛みを感じたケイティ・メイはカイロプラクターの施術を受けたが、その際、脳に血流を送る椎骨動脈が破れてしまった。このため脳に血液が届かなくなり、彼女は脳卒中によって34年の生涯を閉じた。

Ⅱ

自己啓発とマルチ商法

第5章 ニューソートと自己啓発

ニューソートという宗教思想、その源流

⊗ポジティブシンキング／ニューソート／民間療法

第5章では自己啓発やポジティブシンキングについて見ていきますが、これらの源流と言えるのがニューソートという宗教思想です。

これはキリスト教の一潮流とも言えるもので、まずはその理念をマーチン・A・ラーソン『ニューソート：その系譜と現代的意義』（邦訳版は1990年に日本教文社より刊行）を参考にまとめてみます。

●聖書は霊的な解釈を通してのみ正しく理解される。
●神は物質的なものであれ霊的なものであれ、あらゆるものの実体であり本質である。
●人間もまた神の本質が具体化したものであるのだから、無限の可能性を持つ価値ある存在である。このため罪の思想や自己非難を追放し、他人の非難は慎むべきである。
●神の本質からはすべての存在への「神的流入」が起こっており、それは幸福の基盤となっている。
●心と身体は非常に関係が深く、心は身体の病気や治癒の原因となる力を持つ。多くの病気は心身症的なものであり、ポジティブな祈りによって治癒する。
●人間の霊魂には意識、無意識、超意識の3つのレベルが存在する。
●天国と地獄は単なる心の状態である。

この理念の中でも、後の内容に関わる3つの特徴について説明します。

まず1つ目は、**「すべての人間は神の本質が具体化したものである」とする一種の汎神《はんしん》論《ろん》**です。あらゆる人の中には神の本質があり、無限の可能性を持っているのです。ニューソートでの神は人格を持っておらず、全存在の本質、あるいはエネルギーのようなものとして語られます。

2つ目の特徴は、**神の本質から人間への「神的流入」があるとされていること**です。これは神から人間に、エネルギーが流れ込んでいる様子をイメージしてください。そして、そのエネルギーを受け入れられるのは「正しい考え方」を持っている人物であり、神的流入を受け入れて初めて、幸福への道が開けるのです。**「考え方を変えれば目的を達成でき、ビジネスがうまくいく」という自己啓発の思想に繋がるものがここで出てきます。**

3つ目は、**人間の心と身体が密接に関連しており、身体的な病気すらも想念の力で治癒する**としていることです。これは民間療法でも言われる考え方であり、ニューソートが当初から代替医療としての性格を持っていたことについてはこの後触れます。

⊗三位一体説の否定／食材の否定

ニューソート運動が本格的に展開されたのはフィニアス・クインビーが活動した19世紀ですが、その源流は16世紀の神学者・医者・人文主義者のセルヴェトゥスや、17～18世紀の科学者、神学者のスウェーデンボルグに求められます。

セルヴェトゥスはキリスト教における三位一体説を否定し、神は単一であり、宇宙におけるあらゆる存在の中にあるとしました。父なる神は宇宙の実体、子なる神はエネルギー、聖霊なる神は光や照明として単一の神が顕現《けんげん》したものであり、すべての物質の中に存在しているのです。セルヴェトゥスはこの思想を開陳したことで異端視され、火あぶりの刑に処せられました。

スウェーデンボルグ（1688－1772年）。自然科学から神学、国会議員まで驚異的な業績を残した。

スウェーデンボルグは１６８８年にスウェーデンで生まれた人物です。その活動は驚異的で、自然科学から神学、神秘思想に及ぶ幅広い業績を残し、さらには国会議員まで務めています。

彼もまた、**三位一体説を退けて「一なる神」を想定し、その神は遍在する**としました。「流入の理説」を唱えたのも彼で、神からのエネルギーは全存在に流入し、それぞれの存在はそこから生命力を多く、または少なく取り出すとしました。これは病気とも関係しており、**欲情や憎悪といった悪感情が疾病を引き起こす一方、我々が情緒的で知性的な水門を開けば神的流入を受け入れることができ、あらゆる病気が追放される**のです。

スウェーデンボルグはこの他、我々の世界が霊的世界のコピーであるという「対応の理説」、イエスによる贖罪《しょくざい》の否定（これはキリスト教主流派からすると異端です）といった主張をしています。

そして19世紀に登場するのがニューソートを生むことになるフィニアス・クインビーやメリー・ベーカー・エディですが、彼らについて触れる前に、当時の米国の状況について説明します。

⊗ルター／カルヴァン／『プロ倫』

自己啓発を「特定の考え方や行動により自己実現や幸福を得ること」とすると、**元祖自己啓発は宗教**と言えます。

その代表例として挙げられるのがキリスト教カルヴァン派の予定説です。16世紀の宗教改革で、ルターが贖宥状《しょくゆうじょう》（免罪符）による罪の贖《あがな》いを否定したことを覚えている方は多いでしょう。

こうして生まれたプロテスタントの中で、カルヴァンは「生まれながらに天国行きか地獄行きかは決まっている」という予定説を唱えました。つまり、いくら強い信仰を持っていたり善行を積んでも、天国に行けるとは限らないというわけです。

この予定説は一見すると信者の信仰や善行への意欲を削《そ》ぐように見えますが、ここで**「神によって救われている（天国行きが決まっている）のであれば、神から見て好ましいことをやるはずだ」という逆転**が起こり、救済の確信を得たい信者は禁欲と労働（神が定めた職）に励むこととなったのです。

この行動様式が資本主義と相性がよかったために近代資本主義を成立させたというのが、マックス・ウェーバー『プロテスタンティズムの倫理と資本主義の精神』、いわゆる『プロ倫』です。

⊗クインビー／磁気治療／手当て・手かざし／催眠療法士

カルヴァン派に属するピューリタンによって開拓された米国にも、もちろんこの倫理が強く働いており、ピューリタンが持つ禁欲と勤勉さは未開の荒野を切り開く際に役立ちました。

しかしながら、クインビーが活躍した19世紀には、その副作用が目立つようになっていたのです。

その対象は主に女性でした。先ほど触れたとおり、救済の確信は労働に励むことによって得られます。ところが当時、女性は家にいるべきとされ、そこで行われていた裁縫や石鹸づくりは工業化によって不要になっていました。となると、**残るは禁欲と地獄行きの不安だけであり、このため精神的に参ってしまう女性が続出した**のです。

ここで登場したのがクインビーでした。

彼はメスメリストと呼ばれる磁気治療師でした。そうです、前章のカイロプラクティックの項（↓139ページ）でも出てきた磁気治療です。これは18世紀のドイツ人医師、フランツ・アントン・メスメルによって開発されたもので、メスメルは「動物磁気」というものを仮定し、患者に磁石を当てたり、手当て・手かざしを行うことで治療を行いました。

これは一種の催眠療法であり、動物磁気は否定されたものの、メスメリズムはその後の催眠術へと繋がっていきます。

クインビーはカルヴァン主義によって病んでしまった患者と対話し、慈悲深い神が誰かの地獄行きを運命づけることはないことや、神が病気をつくり出すことはないことを言って聞かせました。

彼はこの対話療法により、精神的な症状だけではなく身体的な疾患すらも治したことがあるとされ、優秀なカウンセラーであり催眠療法士だったことが窺われます。

⊗遠隔医療／ニューソート

クインビーの思想で特徴的なのは、心と病との密接な関係で、彼は、心は霊的原質（スピリチュアル・マター）であり、強く信じたものが病気へと凝縮されるとしていました。さらに彼はスウェーデンボルグの聖書解釈を治療で援用したり、スウェーデンボルグが唱えていた時間や場所に制約されない「霊的人間」による「遠隔医療」を実施していたりと、かなり影響を受けています。

このクインビーの治療を受けた人物にメリー・ベーカー・エディがいました。彼女はクインビーの死後、その思想をベースにしたクリスチャン・サイエンス教会を創設し、全米に信者を増やしていきます。

ここまで見てきたとおり、ニューソートでは考え方を変えることによる神的エネルギーの活用や、心と身体との密接な関連が主張されています。特にその実質的な創始者がクインビーという治療師だったことは重要で、**ニューソートでは当初から治療や健康への貢献が中心**でした。これは当時の医学が未発達だったこともあり、クインビーの対話による治療にも優位性があったためです。

ところが医学が進歩するにつれ、ニューソート流の治療よりも主流治療のほうが顕著な効果を発揮するようになりました。しかし、**ニューソートの系譜は途絶えず、その軸足は健康から、ビジネスや自己実現へと移っていきます。**

自己啓発のベースをつくった3人

⊗ナポレオン・ヒル／『思考は現実化する』／潜在意識／周波数／引き寄せ

ニューソートの系譜を引き、現在に至る自己啓発のベースをつくった代表格がナポレオン・ヒルです。

私も彼の主著『思考は現実化する』（邦訳版は1989年にきこ書房より刊行）に十代の頃に出会い、大変感銘を受けたのですが、この本はそのタイトルからしてニューソートを思わせます。

雑誌記事のためのインタビューがきっかけで、鉄鋼王アンドリュー・カーネギーにインタビューしたヒルは、カーネギーから「巨富を築く哲学」を1つのプログラムにする依頼を受け、紹介された大勢の成功者に話を聞くことで、独自の成功哲学をまとめあげました（とされていますが、これに疑義を呈する説もあります）。

『思考は現実化する』では繰り返し「思考」や「信念」「潜在意識」の力が強調され、願望を強く胸に刻みつけることや、目標を紙に書いたり、声に出すことが奨励されます。**願望を繰り返し自分に言い聞かせることで潜在意識が活性化し、人生が望んだ方向へと進んでいく**というわけです。

反対に否定的な思考を持つと潜在意識もそのように働き、悲劇を呼んでしまうとされます。

『思考は現実化する』の前半に登場する「願望実現のための6か条」は、今の自己啓発書でもよく似た内容を目にするもので、ヒルの著作を読んだことがない方も何となく既視感を覚えるのではないでしょうか。ちなみに『思考は現実化する』が出版されたのは1937年です。

---

1. あなたが実現したいと思う願望を「はっきり」させること。単にお金がたくさん欲しいなどというような願望設定は、まったく無意味なことである。
2. 実現したいと望むものを得るために、あなたはその代わりに何を〝差し出す〟のかを決めること。この世界は、代償を必要としない報酬など存在しない。
3. あなたが実現したいと思っている願望を取得する「最終期限」を決めること。

---

4. 願望実現のための詳細な計画を立てること。そしてまだその準備ができていなくても、迷わずにすぐに行動に移ること。
5. 実現したい具体的願望、そのための代償、最終期限、そして詳細な計画、以上の4点を紙に詳しく書くこと。
6. 紙に書いたこの宣言を、1日に2回、起床直後と就寝直前に、なるべく大きな声で読むこと。このとき、あなたはもうすでにその願望を実現したものと考え、そう自分に信じ込ませることが大切である。

ニューソートと違ってここには神が登場せず、また「計画を立てて行動し目標を実現する」、つまり「行動することで世界に影響を与える」内容になっています。これは**「信じたものがそのまま実現する」という宗教的な話よりも現実的であり、現在でも流用されている理由**と考えられます。

一方、この本では祈りについても触れられており、潜在意識は人間の祈りを「無限の知性」が理解できる周波数に変換する媒体であり、「無限の知性」からの返信が目的を達成するための明確なプランやアイデアであるとされます。

また、「感情と結びついた思考は、似たような思考を引き寄せる磁石である」という内容や、人間の脳には「思考の振動」があり、その波長が他人と合ったとき、「マスターマインド」という思考のバイブレーションが生まれて、偉大なエネルギーを得ることができるという内容もあり、ここではベルやヘルツ、アインシュタインといった物理学者が引用されます。

ここで見られる「引き寄せ」や物理学の引用は、後の項（➡164ページ）で見る「引き寄せ量子力学」にもほぼそのまま引き継がれることとなります。

ナポレオン・ヒル（1883－1970年）。自己啓発書を売ることによって成功したという意味でも先駆けである。

⊗ジョセフ・マーフィー／『眠りながら成功する』／潜在意識／引き寄せ／精神的磁石

また、ナポレオン・ヒルと同じく自己啓発書の棚でよく見るジョセフ・マーフィーも、ニューソートを自己啓発として広めた人物です。

『眠りながら成功する』が有名ですが、マーフィーの本にもヒルと同じく潜在意識への働きかけやネガティブな思考の抑制が成功の鍵として記述されており（産能大出版部版の『眠りながら成功する』の副題は「自己暗示と潜在意識の活用」です）、ベースにある思想が共通していることがわかります。

マーフィーは、ヒルよりもさらにニューソートに近かった人物で、彼はもともとニューソート運動の一翼を担うディヴァイン・サイエンス協会の牧師でした（彼が元牧師であることは翻訳書の著者紹介では触れられていません）。

このため、その著作には神や祈りが登場し、**ヒルよりも若干宗教色が濃くなっていますが、潜在意識への働きかけや精神的磁石による引き寄せなど、ヒルの『思考は現実化する』と大筋は同じ**です。

⊗SF商法／催眠商法／ハイハイ商法／悪徳商法

マーフィーを日本に紹介した人物に島津幸一がいますが、彼はSF商法を生み出すとともに、日本における最初期の自己啓発セミナーに関わっていた人物です。

SF商法というのは催眠商法やハイハイ商法とも呼ばれ、悪徳商法の例としてよく挙げられます。

住宅街のお店が空きテナントになったと思ったら、怪しげな業者が現れて高齢者や主婦を集めていた、という光景を目の当たりにされた方も多いのではないでしょうか。

ＳＦ商法では高齢者や主婦を集めた後に会場を締め切り、健康食品や日用品を販売します。最初はタダ同然の価格で売るために客は会場に通うようになるのですが、信頼を得た後に高額商品を売りつけるわけです。ハイハイ商法と呼ばれるのは、密閉空間にサクラを動員して異様な雰囲気をつくり上げ、希望者に「ハイ！　ハイ！」と挙手させるためです。

私も子どもの頃、祖母がＳＦ商法の会場に通いはじめたことがあり難儀しました。締め切った空間で特殊な精神状態をつくり出す技法は、第6章で触れる自己啓発セミナーに通じるものがあります。

⊗ノーマン・ヴィンセント・ピール／『積極的考え方の力』／ポジティブシンキング／ドナルド・トランプ

ヒルやマーフィーと同様、ポジティブシンキングを広めたノーマン・ヴィンセント・ピールも、ニューソートの流れに位置づけられる人物です。

ピールはニューヨークのマーブル協同教会に奉仕していた牧師で、その主著は『積極的

ノーマン・ヴィンセント・ピール（1898－1993年）。牧師として奉仕したマーブル協同教会にはドナルド・トランプも通っていた。

考え方の力』（邦訳版は1954年にダイヤモンド社より刊行）というポジティブシンキングそのままのタイトルです。ピールは牧師だっただけに『積極的考え方の力』には祈りの力や神からのエネルギー補給、信仰による病気からの回復（20世紀に入っていただけに医学も重要視しており、医学と信仰の調和が主張されています）といった概念が登場し、ビジネスパーソンを相手にしていたヒルよりもさらにニューソート的です。

特定宗教への所属意識が薄い日本ではピンとこないかもしれませんが、キリスト教徒が多い米国では大変に売れました。

映画「ファウンダー　ハンバーガー帝国のヒミツ」（ジョン・リー・ハンコック監督、2016年）というマクドナルドの創業者を描いた作品では、主人公レイ・クロックがピールを思わせるポジティブシンキングのレコードを聞いてモチベーションを上げているシーンが出てきます。

このように強い影響力を持っていたピールは、この後、本書に登場する人物にも影響を与えています。

ドナルド・トランプです。**マーブル協同教会はドナルド・トランプが通っていた教会で、トランプはピールに心酔していました。**トランプがこの教会で出会った女性と不倫騒動を繰り広げたため、女性の出席者が急増したという逸話も残っています。

⊗ボードゲーム／バシャール／波動／チャネリング／スピリチュアル／自己啓発／マルチ商法／ネットワークビジネス

ここまで自己啓発について見てきましたが、現在見られる自己啓発書のベースとなる書籍にもキリスト教の一部としてのニューソートの要素が見られることがわかっていただけると思います。

しかしながら、現在の自己啓発では、その源流に宗教思想があることについて触れられることはほとんどありません。これは自己啓発やポジティブシンキングがあまりに広まりすぎたために、当事者も知らないということもあると思いますが、一方で**ある種の宗教アレルギーを持っている日本人に拒絶されないために、「封印」している部分もあるのでは**

ないかと私は考えています。その封印を解きたい、というのが本書に込めた思いの1つです。

また、80年代後半から流行した「バシャール」という宇宙存在からのメッセージ本にも「自分が信じたことが起きる」「自分が選んだことを宇宙が実現する」「ラジオで局を選ぶように、自分の波動と同じ波動を持った相手の部分が交流する」といった内容が見られます。

これはダリル・アンカというチャネラーがチャネリング（交信）によって受け取ったメッセージ（最も有名な『バシャール』ではトランス状態に入ったアンカへの聴衆の質問と回答が記載されています）で、これだけなら精神世界やスピリチュアルの範疇《はんちゅう》です。

ところが、アンカはマルチ商法関係者との共著も制作しており、しかもアンカ個人としての対話ではなくバシャールが登場しているのです。**スピリチュアルと自己啓発とマルチ商法の相性のよさがわかる例**です。

さらに、ニューソート直系ではありませんが、自己啓発の中にはその思想をボードゲーム化しているものがあります。[1]

私はマルチ商法についても取材しているのですが、実はこのタイプのボードゲームは、一般的なボードゲーム会では持ち込み禁止とされていることがほとんどです。自己啓発とマルチ商法の相性がいいため、ボードゲームを使ってマルチ商法・ネットワークビジネスの勧誘を行う人たちが多く、純粋にゲームを楽しみたい人たちに拒絶されているのです。意図を隠して人を呼び、マルチ商法の勧誘を行うのは違法であり、募集の際に「マルチ商法の勧誘のために人を呼んでいます」と明記しないのはそれだけで問題です。

近年、ボードゲーム会に人気が出てきていますが、ご注意ください。

1　ロバート・キヨサキ『金持ち父さん 貧乏父さん』をボードゲーム化した「キャッシュフローゲーム」が有名。ほとんどのボードゲーム会で持ち込み禁止にされている。マルチ商法の勧誘で盛んに使われたため、ボードゲームファンだけでなく悪徳商法に関心がある人たちにも要注意ゲームとして知られている。『金持ち父さん 貧乏父さん』では「誰かに雇われる従業員のままでは収入と自由時間に限界があるため、経営者か投資家になって他人や資産を動かすことで自由と資産を手に入れる」のが理想とされるため、キャッシュフローゲームもそれに沿った内容（ゲーム内での不労所得が総支出を超えると雇われの「ラットレース」から不労所得で暮らす「ファーストトラック」というステージに入り、自由時間を楽しむと共に不労所得が増加していく）となっている。この他、スティーブン・コヴィーによる自己啓発書『7つの習慣』をボードゲーム化した「7つの習慣ボードゲーム」、ナポレオン・ヒルの自己啓発思想をボードゲーム化した「アチーバス」も同様の理由で持ち込み禁止となっていることが多い。

⊗量子力学／潜在意識

２０２１年2月、私がTwitterを眺めていると、「量子力学」に困惑する物理学出身者のツイートが流れてきました。物理学出身者がなぜ今頃量子力学に困惑しているのだろうかと思って読んでみました。すると、それは当時流行っていたClubhouseという音声ＳＮＳに「量子力学コーチ」なる人物のルームが存在し、物理学の話が行われているかと思いきや「自己実現」や「潜在意識」といった内容が飛び交っており、スピリチュアル系の人々が集まっていて意味がわからないというものでした。

Clubhouse流行の勢いで本来の「量子力学」をやっている人たちが、スピリチュアル量子力学と出会ってしまい、何を言っているのか理解ができない状況が生まれていたのです。

スピリチュアル量子力学は物理学の量子力学を無理に解釈して自己啓発に接続したものであり、自然科学系の人たちが困惑するのも無理はありません。それは、ここまで見てきたような自己啓発の系譜でよく使われる手法で、本質的には物理学とまったく違うものだからです。

⊗『ザ・シークレット』／引き寄せ／周波数／波動

引き寄せと物理学の引用はナポレオン・ヒルの頃から見られますが、量子力学コーチに直接結びつく「量子力学と自己啓発の組み合わせ」を広めたのは、2006年に出版されたロンダ・バーン『ザ・シークレット』（邦訳版は2006年に角川書店より刊行）です。

これはもともとモチベーショナルスピーカーやチャネラーといった引き寄せ系自己啓発の関係者にインタビューした映画で、それを書籍化したものが自己啓発書として大変に売れたので、ご存じの方も多いと思います。ここではその書籍を見ていきましょう。

タイトルのとおり、『ザ・シークレット』は秘密を明らかにする本で、「欲しいものすべてが手に入る」「人生に成功をもたらす『偉大なる秘密』なのです」と期待を高めた後、その秘密が「引き寄せの法則」であると明かされます。

ここまで読んでいただいた方なら、その内容についておおよそ予想がついていると思います。これは、「人生であなたに起きていることは、すべてあなたが引き寄せています。

あなたが思い、イメージすることが、あなたに引き寄せられて来るのです」というものです。『ザ・シークレット』では、「思考は磁石のようなもので、その思いにはある特定の周波数がある」「あなたは思考を用いて、周波数のある波動を放射している人間放送局のようなものである」「宇宙は特定の周波数であなたと交信している」という説明が行われ、さらにはそのまま「思考は現実化する」という言葉も重要事項として登場します。**自己啓発としての主張が、ナポレオン・ヒルの頃からほとんど変わっていない**のがわかります。

『思考は現実化する』に比べ、『ザ・シークレット』では「詳細な計画を立て、モチベーションを保ってやり遂げる」部分が薄くなっており、**「考えていることが現実になる」という、ある種の信仰が前面に出ているため、80年以上前のナポレオン・ヒルよりもむしろニューソートに近い**印象を受けます。これがスピリチュアル系で人気の理由かもしれません。

⊗UBI／ディープ・ステート／闇の勢力／GESARA／カーゴ・カルト

2021年5月の終わり頃から、「UBI 60億引き寄せ」というワードをTwitterで検索すると、「6月4日 UBI 60億のデビットカードが届きました。ありがとうございます。引き寄せ、引き寄せ。言霊パワー発動のため完了形です」というツイートを大量に行う一群のアカウントが見られました。

何を言っているのかわからない方がほとんどでしょうから説明します。

「UBI」とはユニバーサル・ベーシック・インカムの略で、無条件で一定の金額を全国民に配る制度のことです（これは社会制度案として実際にあります）。これが地球規模で6月4日に発動し、全員に60億円が配布されると信じている人たちがいたのです。

なぜ60億円なのかというと、もともと米国に「ディープ・ステート」という闇の勢力が倒れた暁には、経済システムが金本位制へと移行し、借金が帳消しになり、所得税が廃止になる『GESARA』という法案が存在する」という陰謀論が存在し、これと同時に言われる「衛星軌道上に浮かぶ量子コンピュータ衛星によって全個人の『量子金融システム＝QFS』が実用化され、UBIとして600万ドルが振り込まれる」という話が輸入されたためです。

600万ドルであれば6億円となりそうですが、陰謀論界隈で出回るうちにいつの間にか金額が増え、60億円となっていました。

また、なぜ6月4日なのかというと、とある陰謀論インフルエンサー（フォロワー数は5万人以上）が「6月4日に小切手か何かが届いて覚醒が起こる」というツイートを行ったためです。

この陰謀論インフルエンサーは日頃から謎の「賢者」や「高次元存在」からのメッセージと称して陰謀論を拡散しているスピリチュアル色が強いアカウントで、6月4日に関するツイートも「賢者からのメッセージ」として投稿されていました。

これが支持者たちに予言として受け取られ、現実にするべく引き寄せツイートを行う人々が大量に発生したというわけです。

ここでは**「行動を起こして世界に影響を与える」部分が完全に抜けてしまい、シンプルに「強く思えば実現する」だけの話になっています。**

付言するとすれば、「光の勢力が闇の勢力と戦っており、闇の勢力が負ければGESARAとQFSが発動する」というストーリーは存在しているのですが、自己啓発や引き寄せに親しんでいる人からしても、ほとんど共感できないのではないでしょうか。

これは自己啓発よりもむしろ、カーゴ・カルトを思わせるものです。

カーゴ・カルト自体の信憑性にも批判はありますが、紹介すると、戦時中に軍隊が基地として利用していた太平洋の島々で、各国が引き揚げた後に木でつくった管制塔やヘッドフォン、手づくりの滑走路やそこで行進を行う「儀式」が見られたというものです。

これは現地の人々が、軍隊による物資の投下を見て、「物資は神が与えたものであり、軍の行動はそれを取得するための儀式である」と考え、引き揚げ後に軍隊を模倣する儀式を始めたのです。ここから、本質ではなく表面だけ真似る行為や、非合理な儀式を行う様子がカーゴ・カルト的であると言われます。

ちなみに、当然ながら60億円の振込はなかったわけですが、引き寄せツイートを行っていた人々からは、「外れたけれども引き寄せを信じていれば実現するはず」「我々には想像できない理由で実現しなかった」ということが言われ、その後も毎日のように引き寄せ儀式が行われています。

⊗『ザ・シークレット』／量子力学／観測者効果／二重スリット実験／波動／粒子

また、『ザ・シークレット』が自己啓発やスピリチュアル界隈に普及させたのが量子力学を持ち出す考え方です。少し引用してみましょう。

> 宇宙は本質的に思考から発生しました。量子力学や量子宇宙学がこれを確認しています。私たちの周りの物質も凝固した思考から出来ているのです。究極的には私

たちは宇宙の源です。

一度でも（自然科学としての）量子力学について勉強したことがある人なら、一見して違和感を持つと思います。**量子力学で扱うのは原子や素粒子であり、人間の精神ではないか**らです。

しかし、スピリチュアルや自己啓発では、「人間の思考が物質に影響する」裏づけとして量子力学が頻繁に使われます。

よく使われるのは観測者効果です。量子力学には「二重スリット実験」という有名な実験があります。電子銃から電子を1発ずつ打ち出し、2つのスリットを通してスクリーンにぶつけます。こうして電子を発射し続けると、スクリーンの上に縞《しま》模様（干渉縞）が現れるのです。干渉縞は山と谷を持つ波が重なり合って生まれるものです。

一方、「1発ずつ」打ち出したことからわかるように、電子を観測した際にはそれが粒子として見いだされます。

この実験から、「電子は観測していないときは波動で、観測すると粒子になる。つまり人間の意識は物質に影響を与える。観測する我々が世界をつくっているのである」というのがこの手の自己啓発における言い分です。しかし、量子の世界というのはプランク長、つまり1.62×10^{-35}、10の35乗分の1・62メートルという単位を使う極めてミクロな空間での話であり、我々が普段触れているスケールの現象に当てはめるのは無理があります。

さらに、量子力学では確かに観測については触れられますが、思考について実験されているわけではありません。研究者が「波動になれ」と考えたところで電子は粒子として観測されます。

「我々が世界をつくる」に至っては完全に主観の話であり、量子力学が扱う範囲を超えています。

⊗量子力学／科学信仰／スピリチュアル／陰謀論者

このような話を説明すると、「適当に自然科学の用語を使っていないで完全にオリジナルの概念で勝負してほしい」という理工系の人がいますが、私もこれはもっともな批判だと思います。

ただしここで注意が必要なのは、量子力学が説得に使われるのは、**スピリチュアル系の人たちが科学を否定しているのではなく、むしろいびつな科学信仰を持っているため**だということです。

たとえば、ニューソートで裏づけに使われたのは聖書でした。「聖書を独自に解釈するとニューソートの主張する内容が読み取れる、したがって正しい」という論理を受け入れられるのであれば、何もわざわざ量子力学を持ち出す必要はありません。最初から聖書を読んでおけばいいのです。

ところが時代が下り、聖書は信じられない、しかし「考え方を変えればすべてうまくいく」という希望を信じたいというニーズがあるときに、それらしいことを言う量子力学が持ち出されるわけです。

「宗教には抵抗がある、科学なら信じられる」からこそ生まれる現象です。

しかし、ここで必要とされるのはあくまで希望の裏づけであり、「自然法則を解き明かす実験や理論」ではありません。

したがって、本来の量子力学には目が向けられず、科学側からすると違和感のある解釈が一部の人たちで共有され続けるのです。一方、「聖書は信じられないけれど、聖書を独自に解釈した結果は便利なので科学と結びつけて信じる」という態度は、宗教側からしても違和感があるのではないでしょうか。

ここまでで、巷で時折目にするスピリチュアルな量子力学の正体がおわかりいただけたと思いますが、引き寄せには、他にも本書のテーマと関係する要素があります。実は引き寄せ本の翻訳者の中には、先ほど説明したGESARAや金融リセット、さらには「新型コロナウイルスワクチンは闇の勢力による人口削減計画」といった説を支持する陰謀論者になっている人物もいるのです。

これは第Ⅳ部で解説する「スピリチュアルと陰謀論の相性のよさ」を表す例の1つです。

現代に繋がる集団セラピーを生んだエサレン研究所

⊗ヒューマンポテンシャルムーブメント（人間性回復運動）／エサレン研究所／禅／ヨガ／チャールズ・マンソン

ニューエイジに強い影響を与えたものとしてよく言及され、自己啓発セミナーの系譜を辿る際には欠かせない運動があります。

ヒューマンポテンシャルムーブメント（人間性回復運動）です。

これはその名のとおり人間に眠る潜在能力の覚醒を目指す運動で、1961年、カリフォルニア州ビッグ・サーに設立されたエサレン研究所（エサレン協会）がその中心地です（奇しくも2021年5月にリリースされたmacOSバージョン11の名前はビッグ・サーでした）。

ここではゲシュタルト療法やエンカウンター・グループ、禅、ヨガ、瞑想といったエクササイズが研究され、その後の能力開発に多大な影響を与えていくこととなります。

この研究所のワークショップにはチャールズ・マンソン（↓47ページ）も参加しており、

エサレン研究所。ヒューマンポテンシャルムーブメントの
中心地であり、さまざまなセラピーが研究されてきた。

それがヒッピーの間でどのように扱われていたのかについては、マンソン・ファミリーの一員だった女性がその経験を記したダイアン・レイク『マンソン・ファミリー：悪魔に捧げたわたしの22カ月』（邦訳版は2019年にハーパーコリンズ・ジャパンより刊行）からその一端を窺うことができます。

1967年当時、「エサレン協会」は人間の潜在能力の限界を探る場として知られていた。両親が行きたくなったのも無理はない。さまざまな分野から招かれた第一級の講師陣は父の好奇心をくすぐり、もっと意味のある人生を送りたいと願う母の心をとらえたはずだ。「エサレン」のワークショップは実験的で、それに参加すれば理性の限界を超越し、言葉を使わずに感覚だけでより親密なコミュニケーションを図れるようになると言われていた。

⊗ゲシュタルト療法

エサレンで研究されたもののうち、ゲシュタルト療法とは、フレデリック・パールズとその妻、ローラ・パールズによって生み出された心理療法です。「ゲシュタルト」はドイツ語で、「全体はその構成物を単に集めた以上の力を持つ」を意味します。

レイチェル・ストーム『ニューエイジの歴史と現在：地上の楽園を求めて』（邦訳版は1993年に角川書店より刊行）では、ゲシュタルト療法が次のように紹介されています。

パールズは、この観点に立って、相対立するグループの間で、1つの具体的な療法を発展させた。患者にショックを与えて、型にはまった思考習慣から抜け出させ、さまざまな自己実現のあり方や、「今」を生きることに気づかされるのである。1

人また1人と、学生たちはこの「熱い椅子」にやって来ては、激しく動揺させられた。彼らは、自分のありのままの姿を見せられ、時にはそのばかげた正体を暴露されたのである。

⊗エンカウンター・グループ

エンカウンター・グループとは、グループを部屋に集めて討議を行わせるもので、主に「いま、ここで何を感じているか」を自由に発言するよう指示します。

このため、最初は誰も発言せず、沈黙が続くこともありますが、やがては互いの印象や感情を吐露する非日常的な場となり、立場を超えた交流や、自己の深掘りを実現できるとされるのです。

これには東海岸系や西海岸系、臨床心理学者カール・ロジャースによるものがあります。

東海岸系のルーツは1940年代に生まれた感受性訓練（センシティブトレーニング、ST）です。これは社会心理学者クルト・レヴィンが、リーダーの養成や人間関係能力を向上させるための研修会を開いた際に偶然生まれたもので、企業の管理職向けや宗教指導者向けに普及しました。

一方の西海岸ではパールズによるゲシュタルト療法の影響を受けたグループセラピーがエサレン研究所で発展し、パールズは「エサレンの賢者」との異名を取りました。

またロジャースによるものは「ベーシック・エンカウンター・グループ」と呼ばれ、これはカウンセラー向けの訓練から発想され、ヒューマンポテンシャルムーブメントの中で発展したものです。ロジャースによるグループセラピーの様子はドキュメンタリー映画に記録されており（Thomas Skinner 監督「Journey into Self」）、1968年のアカデミー賞長編ドキュメンタリー賞を受賞しています。

⊗アブラハム・マズロー／欲求段階説／人間性心理学／シャーマニズム／自己実現／自己超越

このエサレン研究所に関わり、最初の講義の1つも担当していたのがアブラハム・マズローです。

彼はあの「欲求五段階説」、すなわち生理的欲求や安全欲求といった低次の欲求を満たした後に社会的欲求や承認欲求といった高次の欲求を満たそうとし、その最終段階は自己実現欲求であるという説の生みの親です。私も学校での講義や就活セミナーでこの説を耳にしたことがありますが、マズローがどんな人物だったのかという点についてはほとんど説明されていなかった記憶があります。

マズローは、行動主義、精神分析に続く心理学の第三勢力、「人間性心理学」を提唱した人物です。彼は、すべてを行動に還元する行動主義は客観的観察に傾倒しすぎており、一方の精神分析は心の内面を対象にはできているものの、病的な側面に着目しすぎていると批判しました。マズローはこれらに対し、**健康な個人の自己実現や潜在能力を研究する人間性心理学を打ち立てた**のです。この結果、生まれたのが欲求段階説でした。

しかし、あのピラミッドのさらに先、頂点を超えた状態が存在することはあまり知られていません。彼は**自己実現を達成した人物がしばしば神秘体験を得ている**ことを挙げ（その他の特徴としては孤独やプライバシーを好むこと、欠乏や不運に対して超然としていることなど）、「自分の可能性を最大限まで発揮している人間が、さらにその成長を続けたらどうなるのか？」という問いに興味を持つようになります。この答えを得るための研究対象の1つが「至高体験」（人生における最も幸福な体験）であり、エサレン研究所で東洋の修行法やシャーマニズムに触れたマズローは、「自己実現」を超えた「自己超越」に関心を持つようになりました。

⊗トランスパーソナル心理学

この方向からは、人間性心理学に続く第四の心理学、「トランスパーソナル心理学」が生まれます。マズローは『完全なる人間：魂のめざすもの』（邦訳版は1982年に誠信書房より刊行）の中で、これを次のように構想しています。

第四の心理学、それは、トランスパーソナルで、トランスヒューマンな心理学。人間性やアイデンティティや自己実現などを越えていく心理学。人間の欲求や関心よりもむしろ、宇宙そのものに中心を置く心理学。

諸富祥彦《もろとみよしひこ》『トランスパーソナル心理学入門』（講談社現代新書）では、トランスパーソナル心理学について、次のように書かれています。

トランスパーソナル心理学は、心理療法や心理学のワークショップ、宗教の修行や瞑想などで人々が示したさまざまな「超正常」な体験の意義を探求する必要に迫

られて生まれた心理学。また、臨死体験や体外離脱の体験などで得られる通常の意識とは異なった意識状態、すなわち「変性意識状態」が持つ人間成長上の意義を重く見て、それを中心的な研究課題の1つとする心理学である。

同書ではさらに、諸富氏が米国留学中に受けた講義で、最も歯切れが良く、何度も耳にした定義として、次の定義が挙げられています。

トランスパーソナル心理学＝現代心理学＋スピリチュアリティ

スピリチュアルな、目に見えない世界も、そのテーマとして取り込んだのがトランスパーソナル心理学の画期的な部分なのです。

ただし、トランスパーソナル心理学はあくまで学問であり、チャネリングやある種の終末思想も含まれるニューエイジからは距離を置こうとする傾向にあります。

⊗死後の世界／チベット仏教／鈴木俊隆／自己啓発セミナー

トランスパーソナル心理学の代表的な理論家であるケン・ウィルバーは、自我を確立する前のプレパーソナル、自我を確立した後のパーソナル、そしてパーソナルを超越した状態であるトランスパーソナルという三段階の成長モデルを提示しました。

プレパーソナル→パーソナル→トランスパーソナルという過程は想像しやすいと思いますが、実はこのモデルには死後、再度プレパーソナルに戻る過程も含まれており、**トランスパーソナル心理学は死後の世界もその射程に入れています。**

ここではチベット仏教が引用されるとともに、ウィルバー自身も鈴木俊隆（→80ページ）の下で座禅に取り組んだ経験があり、トランスパーソナル心理学には東洋思想からの強い影響が見られます。

このように、エサレン研究所ではさまざまなセラピーが研究され、心理学の発展にも寄与しますが、ここで研究された理論や手法は、自己啓発セミナーに生かされることになります。

第6章　マルチ商法の思想

マルチ商法・疑似科学の親和性

⊗マルチ商法／ネットワークビジネス／マルチレベルマーケティング（MLM）／特商法／ネズミ講／ブラインド勧誘

前章で触れたニューソートや自己啓発を、ある種の教養として会員を動かすビジネス形態があります。マルチ商法です。

マルチ商法とは、法的には「特定商取引法」（以下、「特商法」と表記します）によって規定される、「連鎖販売取引」という形態のビジネスです。ネットワークビジネスやマルチレベルマーケティング（MLM）と呼ばれることもありますが、内容としては同じです。

実際に規定しているのは特商法の第三十三条であり、消費者庁の特定商取引法ガイドでは次のように示されています。

---

1. 物品の販売（または役務の提供など）の事業であって
2. 再販売、受託販売もしくは販売のあっせん（または役務の提供もしくはそのあっせん）をする者を
3. 特定利益が得られると誘引し
4. 特定負担を伴う取引（取引条件の変更を含む）をするもの

平たく言えば、「商品を再販売することで利益を上げられる」と他者を勧誘して販路を広げるビジネスで、参画にあたって負担が必要なものです。特定商取引法ガイドの解説を引用します。

具体的には、「この会に入会すると売値の3割引で商品を買えるので、他人を誘ってその人に売れば儲かります」とか「他の人を勧誘して入会させると1万円の紹介

料がもらえます」などと言って人々を勧誘し（このような利益を「特定利益」といいます）、取引を行うための条件として、1円以上の負担をさせる（この負担を「特定負担」といいます）場合であれば「連鎖販売取引」に該当します。

よく似たものに「無限連鎖講」、いわゆる「ネズミ講」がありますが、こちらは物品の販売ではなく配当の連鎖が主目的であり明確に違法です。

よく、**「モノを売った利益が上位会員へ上がっていくのがマルチ商法、お金だけ上がっていくのがネズミ講」と説明される**のはこのためです。実際には商品があってもネズミ講と判断された例もありますが、ここでは詳細な法解釈には踏み込みません。

このように法での規定があるためマルチ商法は「合法ビジネス」と言われますが、実際には、実施にあたって厳しい制約があります。たとえば、次のような行為が禁止されています。

1. 勧誘の際、または契約の締結後、その解除を妨げるために、商品の品質・性能など、特定利益、特定負担、契約解除の条件、そのほかの重要事項について事実を告げないこと、あるいは事実と違うことを告げること。
2. 勧誘の際、または契約の締結後、その解除を妨げるために、相手方を威迫して困惑させること。
3. 勧誘目的を告げない誘引方法（いわゆるキャッチセールスやアポイントメントセールスと同様の方法）によって誘った消費者に対して、公衆の出入りする場所以外の場所で、特定負担を伴う取引についての契約の締結について勧誘を行うこと。

特に、勧誘目的を告げない勧誘は「ブラインド勧誘」とされ、違反行為の代表例とされます。マルチ商法に勧誘された体験として、よく「ほとんど会っていない同級生から呼び出されてカフェに行ったら、マルチ商法の勧誘だった」というものがありますが、こうした例はすべて違反行為となります。

⊗マルチ商法／桜を見る会／ジャパンライフ／マーフィー／催眠商法

マルチ商法に厳しい制限が設けられているのは、特商法自体が、70年代に日本に上陸したマルチ商法企業であるホリディマジックや主に健康食品を販売していたジェッカーチェーン、自動車燃費の向上や排気ガスの減少を謳う製品を取り扱っていたAPOジャパンといった企業が社会問題を引き起こしていたことを制定の一因としているためです。

ちなみに、**ジェッカーチェーンは「桜を見る会」を利用して勧誘を行っていた代替医療機器製造販売企業ジャパンライフと同じ人物が設立**しており、その前身ともされるものです。

さらに、APOジャパンの経営陣には、第5章で解説したマーフィーを日本に紹介した人物、島津幸一が就任していました（↓158ページ）。島津は催眠商法を生み出していたこともあり、「催眠商法の教祖」「マルチ商法の教祖」といった異名で知られていました。

これはマルチ商法と自己啓発の関係の深さを示すエピソードです。

⊗自己啓発／フタをされたノミ／水槽を仕切られた魚／鎖に繋がれたゾウ

マルチ商法が他のビジネスとは違った目で見られる理由として、特商法という独特の法律で規定されていることや、会員であって社員ではない（雇用契約を結ぶわけではない）といった理由の他、会員に対して自己啓発の世界観、つまり『**思考は現実化する**』**世界観を強力に植えつける思想集団としての性格を持っている**ことがあります。

社会学者の小池靖《こいけやすし》は、「ネットワークビジネスのコミュニティは、ポップ心理学的な価値観である積極思考を互いに教化しあう集団として成立している」「思想、組織構造、そして社会問題という点から見ても、ネットワークビジネスを解読するとき、宗教との類似性という視点は決定的に有効である」と指摘しています。

マルチ商法では自己啓発的世界観を使って会員のモチベーションを引き出すためにいくつかの寓話《ぐうわ》が使われることがありますが、これはマルチ商法以外の場にも持ち出されているため聞いたことがある方も多いのではないでしょうか。それは「フタをされたノミ」や「水槽を仕切られた魚」といったものです。

「フタをされたノミ」とは「コップにフタをしたノミは、フタを外されてもそれ以上は飛べなくなってしまう」、「水槽を仕切られた魚」とは「水槽の中央についたてを置かれた魚（金魚やカマスとされることが多い）は、ついたてを外してもその先には行かなくなる」というもので、**どちらも「自分で定めた限界を突破すれば成功できる」と思わせるもの**です。この他「鎖に繋がれたゾウ」の寓話もありますが、メッセージとしては同じです。

冷静に考えれば寓話の真実性の他、単純な移動範囲の話と、ビジネスでの選択肢や成功の話は異なるはずですが、その場の空気というものがあるため、特に初めて聞いた場合には何となく納得してしまうことも多いものです。

このような話で説得しようとする相手がいた場合は、その後に何を持ち出すのか注意したほうがいいでしょう。

⊗ラリー／自己責任論

会員のモチベーションを高めるとともに自己啓発思考を刷り込む場として、マルチ商法の多くでは「ラリー」と呼ばれる大規模集会が行われています。

ラリーでは成果を出した人物がステージに上がって承認されるとともに、次のような、**ある典型的なパターンを持つスピーチを行って、マルチ商法の素晴らしさを強調します。**

「駄目だった自分が、マルチ商法と出会ったことで最初は失敗しながらも結果的には成功することができ、海外旅行や高級車、クルーザーなどを手に入れることができた。これを聞いているあなたもこのチャンスを手にしており、真剣に取り組むことで必ず成功できる」

私もマルチ商法ラリーの動画を見たことがありますが、大勢の会員が集まる会場で照明や音楽での演出が行われ、まるでロックバンドのライブのようでした。こうして成功への確信を植えつけられた会員は、日々の勧誘に邁進《まいしん》することとなります。

自己啓発でも見てきたような、「正しい考え方をし、然《しか》るべき選択さえすれば思いどおりの人生になる」という考え方は、成功への希望を与える一方で、「**人生がうまくいっていないのは環境のせいではなく、あなたの考えや方法が間違っているからである、なぜならあなたの人生を決めるのはあなただからだ**」**という自己責任論にも繫がります。**

特に後者はマルチ商法のような、会員の活動成果が報酬に直結するビジネスにとっては都合がいいのです。会員の活動がうまく行かなかったとしても、「それはあなたが間違っているからだ」とすべて相手のせいにすることができ、ビジネスモデル自体の問題やビジネス環境の影響から目を背けさせることができます。

勧誘しておいて「あなたが全部悪い」とは理不尽に感じますが、自己責任論を強烈に刷り込まれているとなかなか言い返せないものです。

⊗自然派／疑似科学／民生委員／マインドコントロール／街コン／ボードゲーム会／勉強会／転職セミナー／路上／サプリメント／アロマ／精油

マルチ商法の特徴として、他には自然派や疑似科学とも相性のよさが挙げられます。これらはセールストークに活用されます。

民生委員がマルチ商法販売員だったことから奥さんが洗脳されてしまい、家庭が崩壊した体験を書いた『妻がマルチ商法にハマって家庭崩壊した僕の話。』（ポプラ社）のズュータンさんは、**マルチ商法が取り扱う商品の傾向から、疑似科学やニセ医学、いわゆる「トンデモ」との相性のよさを指摘しています。**

マルチ商法にハマることと、「トンデモ」を信じることは別ではないか、と思うかもしれない。しかし、このふたつは密接につながっているというのが僕の実感だ。

マルチ商法が取り扱う製品の多くはサプリメント、プロテイン、調味料、空気清浄機、浄水器、洗剤といった健康食品や日用品である。そして、一般的に「トンデモ」と指摘される情報の多くも、医療や健康や食に関するものである。なかには規定に反した勧誘を行う会員がいるが、その場合、製品の優位性を説明するときに「トンデモ」が話に混じることがある。

前掲書では、奥さんが家を出て上位会員と暮らしはじめ、本格的な洗脳段階に入る様子

や、自己啓発セミナーに送り込まれて別人になってしまった様子が克明に描かれています。こうしたビジネスによるマインドコントロールや洗脳が本当に恐ろしいと実感します。ズュータンさんの例では民生委員がきっかけでしたが、私が取材した例では街コンやボードゲーム会、エンジニア向けの勉強会や大規模転職セミナー、さらには路上での声掛けなど、およそ人が集まる場所のほとんどで勧誘事例が聞かれます。

闇への入り口は、あらゆる場所に潜んでいると考えたほうがいいでしょう。

また、マルチ商法で取り扱われる商品については、私もマルチ商法から派生した団体についで取材していたことから、マルチ商法の元会員や、身内が洗脳されてしまった方とお話しすることがありますが、やはり多いのは**サプリメントや健康食品で、その他にはアロマのマルチ商法について聞くこともよくあります。**

Netflixの「ウェルネス・アンウェルネス」というドキュメンタリーシリーズには精油（エッセンシャルオイル）についての回があるのですが、そこで挙げられる二大企業はどちらもマルチ商法の企業です。

マルチ商法から生まれた自己啓発セミナー

⊗自己啓発セミナー

マルチ商法との関係が強く、ヒューマンポテンシャルムーブメント（↓174ページ）の影響も受けたものとして、80～90年代に社会問題化した自己啓発セミナーがあります（問題視する文脈では「洗脳セミナー」とも呼ばれました）。

自己啓発セミナーそのものをご存じない方も、「集団を部屋に閉じ込め、序盤から罵倒《ばとう》してしごいた後に最終日で褒める『アメ』の段階に入り、『生まれ変わった！』と言いながら抱き合って号泣するセミナー」と言えば何となく想像がつくのではないでしょうか。

自己啓発セミナー会社には企業向けの研修を請け負っている会社があるため、会社の研修で似たようなことを経験した方もいるかもしれません。

私自身は「生まれ変わる」イメージのとおり、自身で人格をコントロールするさまざまな方法が記載されている鶴見済『人格改造マニュアル』（太田出版）でこのセミナーについて知りました。

「自己啓発セミナー」というと、現在ではさまざまなスタイルのセミナーが含まれますが、本書ではこのようなセミナーについて見ていきます。

⊗意図がすべて／人生は選択である／Be-Do-Have

まず、自己啓発セミナーの典型例を、実際に潜入した二澤雅喜による『人格改造！：都市に増殖する闇のネットワーク「自己開発セミナー」潜入体験記！』（JICC出版局）、『洗脳体験』（島田裕巳との共著、宝島SUGOI文庫）を参考にして簡単に説明しましょう。

セミナーは3段階のコースを取っていることが多く（『洗脳体験』の例ではベーシック、アドバンス、インテグリティ・ネットワーク）、第1段階と第2段階についてはどちらも自己啓発セミナーで重要とされる価値観を埋め込むための講習やワークが行われます。

自己啓発セミナーで重視される価値観としては、「意図がすべて」「人生は選択である」「Be-Do-Have」というものがあります。

「意図がすべて」とは、「物事は意図と方法によって達成されるが、達成のうえで重要なのは意図であり、割合としては意図が10で方法がゼロ」というものです。そして、「人生は選択である」とは、「自分の人生をつくるのは自分自身の選択である」というもので、「Be-Do-Have」とは、「まず、なりたい自分になった気分になってから（Be）、行動し（Do）、成果を手に入れる（Have）」というものです。**これらはいずれもニューソートや自己啓発に通じる考え方**です。

自己啓発セミナーで重要とされる価値観には自己責任論の他にも、**他者との助け合いや一体化というものがあり、こうした考え方を植えつける方法として、講習や議論の他にも実習が行われます。**

次はこの実習の例を2つ取り上げます。

⊗赤黒ゲーム

1つ目は「赤黒ゲーム」です。

赤黒ゲームでは2チームに分かれ、それぞれが赤と黒のどちらかを選んで投票します。投票は何度も繰り返され、その都度赤と黒の組み合わせで点数が決まります。ここでの講師の指示は、「できるだけ多くの点数を獲得し、相手に勝つように」というものです。赤黒ゲームの点数設定は次のようになっています。

赤と赤：両チームにマイナス3点
赤と黒：赤にプラス5点、黒にマイナス3点
黒と黒：両チームにプラス5点

少し眺めるとわかりますが、相手に勝とうと考えた場合は赤を出し続ければいいルールになっています。赤同士であれば互いの点数差はなく、黒とぶつかった場合には赤側がプラスになるためです。

ところがこれが罠《わな》で、1回目のゲームが終了したところで講師からこのような叱《しか》りが入ります。

「私はこのゲームの目的をどのように説明しましたか？　単に勝てとは言っていませんよね？」

ここで改めてルールを見ると、黒と黒の組み合わせの場合に最もプラスが大きくなって

おり、得点を最大化しようとすれば相手を信頼して黒を出し続けるのが正しいとわかります。これが**自己啓発セミナーにおける**「**正解**」なのです。**講師からは「相手とともに利益を最大化することを考えず、相手に勝つことしか考えない、それがあなたの人生です」と指導が入ります。**

違和感を持つ人がいると思いますが、自己啓発セミナーでは集団を密閉空間に入れ、カーテンも閉めきって時間感覚を狂わせたり、要所で音楽を流すなど集団心理のコントロールが行われるため、現場では感情を揺さぶられてしまうようです。

⊗選択の実習／指4本

2つ目は「選択の実習」です。

ここでは受講生が二重の輪をつくり、外側の円と内側の円が移動することで、違う相手と次々に対面します。このとき、対面した相手と実行したいことを指の本数で「投票」します。本数に応じたアクションは次のとおりです。

指1本＝顔をそむける

指2本＝見つめ合うだけ
指3本＝握手する
指4本＝抱擁する

お互いが同じ本数であれば投票内容を実行し、異なる場合は双方の判断によります。選択肢を見ると1本と4本は出しにくいため、最初は2本か3本の人が多いのですが、照明が落とされ、講師からの「あなたの相手をよく見てみてください。もしも明日世界が滅びてしまうとしたら、もう二度と会えないのです……」という言葉が響くと何か深刻な気分になり、次第に4本＝抱擁を選ぶ人が増えます。やがて輪を崩し、自由に歩き回るようにと指示が出ると、すすり泣きながら出会った相手と次々に抱擁するという光景が生まれます。

この実習はかなり印象に残るらしく、**私はセミナー後の集合写真で受講者が4本指を立てているものを見たことがあります。**もし、知人がSNSに4本指を立てたグループ写真をアップロードしていたら、それは自己啓発セミナー後の写真かもしれません。

⊗グラジュエーション／勧誘

第1段階の最終日には、「グラジュエーション」という「卒業式」があります。

暗い室内で目をつぶっていると、周囲に人の気配がします。目を開けると、そこにはセミナーの紹介者が立っており、花束や手紙が渡されます。

この段階では**自己啓発セミナーによる心理コントロールが仕上がっており、多くの人が号泣しながら紹介者と抱き合います。**

私は会員を次々に自己啓発セミナーに送り込む、マルチ商法からの派生団体を取材していたことがあるのですが、セミナーを経験した元会員は、「大体どのような内容か事前に知っていたが、実際に体験すると感動し涙ぐんでしまった」と言っていました。

さて、セミナーの料金を見ると、多くは第1段階が10万円前後、第2段階は数十万円と、第2段階のほうが高いのに対し、**第3段階は数万円と安くなっています。**

これはなぜでしょうか。

それは**第3段階が「勧誘」を行わせるコースになっていることが多いため**です。「この素晴らしいセミナーを、もっと多くの人に伝える」というわけです。

高額な費用を支払い、第2段階までセミナーを受講した人物は極めてポジティブな精神状態となっており、ここで強引な勧誘が行われたため自己啓発セミナーは社会問題化しました。また、強制的に心を動揺させるワークが繰り返されることで、精神的なダメージを負う受講生が発生したことも問題視された要因です。

⊗感受性訓練（ST）／罵倒／暴力／自殺

自己啓発セミナーにマルチ商法を思わせる特徴があるのは偶然ではありません。自己啓発セミナーはその発生当初からマルチ商法と深い関係にあるからです。

この種のグループセラピーの元祖として語られることが多いのがヒューマンポテンシャルムーブメントの項（↓174ページ）でも触れた感受性訓練（ST）です。STは、50年代には主にキリスト教の聖職者向けのトレーニングとして日本に持ち込まれており、その後**企業向けに転用された結果、罵倒や暴力が平然と行われる「しごき」のトレーニングとなりました。**

STや自己啓発セミナーについて取材した福本博文『心をあやつる男たち』（文春文庫）では、その早い段階で自殺者が出ていたことや、精神的なダメージから病院に運び込まれる事例が発生したことが記載されています。

　ドア付近の人垣をかきわけて中をのぞくと、受講者たちが細身の男を取り囲んでいた。彼らは両手と足を取り押さえ、男の口にタオルやスプーン、割り箸を押し込んでいた。ひとりの手には、男に指を嚙み切られた際の鮮血が生々しく付着していた。男の顔を見ると、さきほど自殺を図ったばかりの受講者であった。

　その日の午後四時頃、鉱山会社営業部ニッケル課長の松井恒夫（仮名）が突然、二階の研修室を飛び出し、

「おれは石だ、石だ」

と、叫びながら階段をのぼっていった。

（中略）

二人が制止しなければ、彼は窓から飛び降りるところであった。

大森のもとに断片的な話が伝わってきた。自殺を図ろうとした松井は、堀田と同僚から説得されて、いったんは納得したようにみえたが、自室に戻ると、今度は舌を嚙み切ろうとした。気になって部屋の様子をうかがった者が悲鳴をあげ、堀田と

ともに駆けつけた受講者が部屋にあったものをつかみとり、松井の口をこじあけて押し込もうとしたのだ。しかし、救急車が来たとき、松井はすでに死亡していた。

このように問題が多かったSTは70年代には下火になりますが、それと入れ替わるように、新たなムーブメントから生まれたセミナーが日本に上陸し流行しました。自己啓発セミナーです。

⊗自己啓発セミナー／マルチ商法／禅／エサレン研究所／ナポレオン・ヒル

自己啓発セミナーの直接的なルーツは、米国で化粧品のマルチ商法・ネットワークビジネスを展開していたホリディマジックの経営者ウィリアム・ペン・パトリックによるマルチ商法販売員向けの研修会社リーダーシップ・ダイナミクス・インスティテュートと、元教師アレキサンダー・エベレットによる瞑想も取り入れたマインド・ダイナミクスです。ホリディマジックは日本にも上陸して問題となり、マルチ商法を規制する「訪問販売等に関する法律（現・特定商取引法）」が公布されるきっかけになった会社です。

そして、その経営者パトリックはマインド・ダイナミクスにも出資しており、**自己啓発**

セミナーは「マルチ商法から生まれた」といっても過言ではないのです。

ホリディマジックで行われていたトレーニングはかなりハードなものだったようで、先にも引用した『心をあやつる男たち』には、「アメリカのホリディマジックでは、会員を棺桶《かんおけ》や鉄格子の檻《おり》に閉じ込めたり、棒で殴ったりしていた」と記述されています。

マインド・ダイナミクスの講師の中からは、これらのセールス向け研修や禅、エサレン研究所で行われていたさまざまなワークショップ、独自の心理療法から出発し、ハリウッドスターも入信していることで知られる新宗教Ｓなどを結びつけたトレーニングを生み出す人物が現れました。

エアハード・セミナーズ・トレーニング（ｅｓｔ）を設立したワーナー・エアハードです。

エアハードはエサレン研究所に出入りする前はナポレオン・ヒルに傾倒していました。彼はもともと経済的成功を説く自己啓発に心酔しており、これにヒューマンポテンシャルムーブメントを接ぎ木したのです。社会学者の小池靖は、「１９７０年代のネットワークビジネスの人材開発に、ちょうど当時流行していたさまざまなヒューマンポテンシャルムーブメントのアイディアを取り入れてつくられたというのが真相ではないだろうか」としています。

ｅｓｔは米国での自己啓発セミナーの主流となり、その後発としてさまざまな研修会社が生まれます。

その中に「ライフスプリング」という会社がありました。

このライフスプリングのトレーナーからは、社内の権力争いに敗れたことから日本に渡り、自己啓発セミナーを持ち込む人物が登場しました。日本における自己啓発セミナーの元祖「ライフダイナミックス」を設立したロバート・ホワイトです。ホワイトが来日したのはホリディマジックの幹部を教育するトレーナーとしてでした。

さらにライフダイナミックス（後にアーク・インターナショナルと改名）の取締役には、「マルチ商法の教祖」島津幸一（↓１５８ページ）が就任していました。

日本においても、その最初期からマルチ商法と自己啓発セミナーとは極めて近い関係にあったのです。

⊗豊田商事／ベルギーダイヤモンド

怪しげな業界との繋がりで言えば、『心をあやつる男たち』に、ホリディマジックの元トレーナーが、豊田商事系のベルギーダイヤモンドに引き抜かれていたという話も載っています。

豊田商事といえば、会長だった永野一男宅の前でテレビカメラが回っているところに右翼団体か暴力団の構成員風の男が現れて窓を破壊し侵入、永野一男を刺殺した後に「おい警察呼べはよ。俺が犯人や」と叫んだ「豊田商事会長刺殺事件」が有名です。

豊田商事は金の現物まがい商法、つまり金の購入契約を結びながら証券しか渡さず、実は金など存在していないという詐欺商法を手広く展開していました。一時は全国に支店があったうえにテレビCMも放送しており、総被害額は2000億円とも言われる史上最大級の詐欺事件です。この詐欺会社がつくっていた系列企業の1つがベルギーダイヤモンドで、実際にはほとんど価値のないダイヤモンドをマルチ商法で売りさばいていました。**自己啓発セミナーの手法は、歴史的な詐欺事件の周辺にも流れ込んでいた**のです。そして、この関係を軸に組み立てられたのが宮部みゆき『ペテロの葬列』（文春文庫）でした。

その後、「いま、ここで感じていること」を自由に発言させるためにその場がどこに向かうかわからないSTと比べ、赤黒ゲームや選択の実習など、ワークの内容や進め方がはっきりしているライフダイナミックスからはマニュアルが持ち出され、多くの分派を生み出すこととなります。

ここからは世間を騒がせた事件で、自己啓発セミナーが関係していたものを2つ取り上げます。

どちらもカルト宗教、あるいは単に洗脳事件として記憶されていることが多いものです。

⊗成田ミイラ化殺人事件／ライフスペース／サイババ／シャクティ／オウム真理教／足裏診断／霊感商法／法の華三法行／パナウェーブ研究所／カルト宗教

1つ目は成田ミイラ化遺体事件です。

1999年11月、千葉県成田市のホテルから、「4か月以上も宿泊し続けている不審な客がいる」と通報がありました。部屋に踏み込んだ千葉県警が発見したのは、ミイラ化した男性の遺体でした。さらに奇妙なのは同室にいた60代の女性、30代の男性（後に遺体である男性Sさんの妻と長男と判明）の主張でした。2人の答えは「まだ死んでいない。治療中だ」というものだったのです。

実は部屋にいた長男は「ライフスペース」という団体の会員で、この会員複数人が脳出血で倒れたSさんを病院から連れ出し、「シャクティパット」という頭を叩く行為で治療を試みていたのです。「シャクティ」とはヨガの言葉でパワーやエネルギーを表す言葉で、平手で頭部を叩くことによってエネルギーを注入しようとするのがシャクティパットです。

これはライフスペース代表の高橋弘二《たかはしこうじ》によって盛んに主張され、会員もそれを信じていました。ライフスペースの会員がSさんを病院から連れ出したのも、「点滴は危険。シャクティで治す」という高橋の指示によるものです。

この事件はその異常性もさることながら、会見に現れた高橋弘二が、長く伸びた髪や髭というグル然という雰囲気だったこと、恐ろしい事件にもかかわらず彼の答えが、

「食べ物はそら豆オンリー」

「私は何も食べなくても死なないというのは聞こえなかった?」

「定説とはイコール病気、定説とはイコール『ザ・グル』」

「(「サイババと出会ったのはどれくらい前からですか」という質問に対して)6000年です」

「(「サイババさんはあなたとの関係を否定していますが」という記者の質問に対して)……それはサイババの勝手なんですよ」

といった要領を得ない、とぼけたような回答を繰り返したためニュースやワイドショーで繰り返し放送されました。

90年代後半から2000年代前半はオウム真理教事件に始まり、ライフスペース事件、

「足裏診断」で霊感商法を行っていた法《ほう》の華三法行《はなさんぼうぎょう》事件（集会における「最高ですかー、最高でーす！」の大絶叫が繰り返し報道されました）、施設やワゴン車を白布と奇妙なマークで覆い、移動を続けた「白装束集団」パナウェーブ研究所といった、カルト宗教の事件が断続的に起こりました。メディアを騒がせたこれらの事件によって、新宗教に関心を持った人も多いのではないかと思います。

「カルト宗教」と書いたものの、ライフスペースはもともと宗教団体ではなく、自己啓発セミナー会社でした。先にも触れたライフダイナミックスの大阪支部から高橋が独立してつくったのがライフスペースで、事件としては成田ミイラ化遺体事件が有名ですが、実はその前にもセミナー参加者の死亡事件や、借金（１０００万円）を抱えたセミナー生の自殺事件が起きていました。ライフスペースには「シャクティパットグル・ファウンデーション」という関連団体もあり、世間では「宗教の事件」として取り上げられることがほとんどです。

　被害者やその家族によって設立された「ライフスペースを考える会」によれば、最も高額なセミナーは５００万円（ワークショップ50と呼ばれた）だったようです。自己啓発セミナーとカルト宗教との距離の近さを感じさせる事件です。

⊗TOSHI洗脳事件／ヒーリング／癒し／暴行／罵倒

もう1つお伝えしたいのが、TOSHI洗脳事件です（現在の表記は「Toshl」ですが、ここでは事件当時の表記である「TOSHI」で統一します）。

2010年1月、日本を代表するロックバンド「X JAPAN」のヴォーカル、TOSHIによる会見が行われました。そこで語られたのは、1998年から12年に渡り、所属していた株式会社ホームオブハート（旧名レムリアアイランドレコード）、株式会社ヒーリングワールドに経費を除いたギャラや売上がすべて渡っており、手元には資金がほとんどないこと、当時の妻とは実質的な夫婦生活がなく離婚調停に入っていること、ソロ活動は一旦《いったん》白紙に戻し、X JAPANとしての活動は積極的に行っていくことでした。

なぜTOSHIの元にまったくお金が渡っていなかったのでしょうか。

それは彼が90年代後半からホームオブハートの代表M氏によって「洗脳」されており、活動で得た売上をM氏と元妻に吸い上げられていたからです。98年には『週刊現代』からホームオブハートの洗脳に関する詳細な記事が出されて「TOSHI洗脳騒動」が起こり、ファンからは「TOSHI、帰ってこい！」という声が飛ぶことがありました。

ＴＯＳＨＩは、洗脳されていた時期に「癒しのコンサート」で全国を回っており、ファンだった私も「ＴＯＳＨＩに何てことをさせるんだ！」と思った記憶があります。

ＴＯＳＨＩが２０１４年に発表した書籍『洗脳：地獄の12年からの生還』（講談社）には、彼が洗脳され、そこから生還するまでの過程が克明に記載されています。

その入り口は元妻で、当時家族や事務所とトラブルを抱えていたＴＯＳＨＩは頻繁に手紙を寄越し、優しい言葉を掛けてくれる元妻から癒しを得ていました。元妻と出会ったきっかけはロックオペラの共演でした。精神世界やスピリチュアルに強い関心を持ち、ニューエイジミュージックやヒーリングミュージックをよく聞く人物だったことが記述されています。そして彼女に勧められて会ったのがホームオブハート代表のＭ氏で（ＴＯＳＨＩは後の会見で、もともとＭ氏と元妻は繋がっていたのではないかと推測しています）、「特別に受けられる」と紹介されたセミナーに参加したのをきっかけに、元妻やＭ氏に暴行や罵倒を繰り返される洗脳の日々が始まるのです。

ホームオブハートは自己啓発セミナーを運営する会社で、Ｍ氏のヒーリングミュージックも販売していました。**ヒーリング＝癒し、自己啓発セミナー、そしてレムリア（超古代文明）は一見ばらばらに見えますが、本書を読んでこられた方であればこれらが「ニューエイジ」**

という1本の糸で繋がるのではないでしょうか。

M氏に心酔していた元妻は監視役となり、「フィードバック」と称してTOSHIに暴言や暴行を与え、ひと時も気が休まらない環境をつくり上げます。M氏や元妻から与えられた暴言には「アゴ男」や「おまえがヴィジュアル系なんていう気味の悪いやつらを生み出した張本人！」「世界の若者たちをダメにした極悪人！」といったものが含まれ、XJAPANのファンならずとも、ヴィジュアル系のファンなら怒り心頭に発するような言葉が繰り返し出てきます。また、「お前は自我が強いから駄目なんだ」という罵倒もたびたび行われ、これはラジニーシ（↓85ページ）を想起させます。

TOSHIはホームオブハートのマインドコントロール裁判で、M氏がふがいない挙動しか示せなかったことから疑念を抱き、またXJAPAN再結成をきっかけにして外部の人々との交流が復活したことから、逃亡して洗脳からの帰還に成功しました。『洗脳』に描かれている、監視役の元妻を振り切って逃亡を図るも失敗し、拉致《らち》監禁され、その後体調を崩して担ぎ込まれた病院から再度の逃亡を行い、恩人の館《やかた》へ逃げ込む様子は手に汗握る展開です。

恐怖の洗脳団体からの脱出に成功した彼は、現在、「龍玄《りゅうげん》とし」名義でのソロ活動や音楽バラエティー番組への出演など、多彩な活躍を見せています。このような才能溢れる国民的ヴォーカリストの12年間を奪ったことは、許されることではありません。

TOSHIを洗脳したM氏と元妻は現在でも活動しており、この事件は過去のものではありません。今も我々のすぐ側にある闇なのです。

⊗コーチング／人間性心理学／東洋哲学／構成主義／言語／IBM

ヒューマンポテンシャルムーブメントの系譜に乗っているもので、今日最もよく目にするのが「コーチング」です。

クライアントの成長を支援するこの技術は、今では大企業にも取り入れられていますが（特に有名なのは日産自動車です）、その歴史を辿ると、またしてもエサレン研究所が登場します。

「国際コーチング連盟（ICC）」の共同設立者であるジョセフ・オコナーとアンドレア・ラゲスの『コーチングのすべて』（邦訳版は2012年に英治出版より刊行）によれば、現在のコーチングが始まるきっかけとなったのは、ティモシー・ガルウェイが1974年に出版した『新インナーゲーム：ここで勝つ！　集中の科学』（邦訳版は2000年に日刊スポーッ出版社より刊行）でした。この本にはテニスをプレイする際の「内なる的」について書かれており、ガルウェイは人間性心理学、仏教思想、スポーツ心理学、無意識のプログラミングをまとめ上げて、斬新な理論をつくり上げました。

実はこのガルウェイはエサレン研究所のスポーツセンターで「ヨガ・テニス」を始めた人物で、ワーナー・エアハード（↓203ページ）のテニスコーチでした。自己啓発セミナーで出てきたあのエアハードです。エアハードのestはコーチングにも多大な影響を与えているため、彼はコーチングに2番目に大きな影響を及ぼしたとされています。

そして、最大の影響を与えた人物が1989年に「カレッジ・フォー・ライフプランニング」を設立し、コーチングの原点をつくったトマス・レナードです。レナードはest形式のセミナーを行っていた「ランドマーク・エデュケーション」の予算部長で、セミナー内容についても熟知していました。彼のカレッジ・フォー・ライフプランニングから発展したのがコーチングで、1992年に「コーチ・ユー」を設立します。

レナードが「コーチ・ユー」を設立したのと同じ年、同じく最初期のコーチ育成機関として知られる「コーチ・トレーニング・インスティテュート（CTI）」を設立したのもまたestの関係者でした。CTIを設立したローラ・ウィットワースはestの経理部出身で、レナードの第1回ライフプランニングセミナーを受講していた人物です。このウィットワースは「パーソナル・アンド・プロフェッショナル・アソシエーション（PPCA）」というコーチの団体を設立しますが、PPCAはレナードが94年に設立した（前身の）ICFという団体と合併し、現在コーチの業界団体として知られている「国際コーチ連盟（ICF）」となっています。

コーチングは90年代の米国で発展し、IBMといった大企業にも受け入れられていきました。

ヒューマンポテンシャルムーブメントに連なる能力開発方法らしく、『コーチングのすべて』ではコーチングの4つの原則として人間性心理学、東洋哲学、構成主義（人間は自分の経験からその世界を構成する主体であるという考え方）、言語の研究が挙げられています。

日本には97年に「コーチ21」を設立したI氏によってコーチングが持ち込まれました。ここまでに登場した人物と同じく、I氏ももともとは自己啓発セミナーの関係者で、「IBD（It's a Beautiful Day）」という自己啓発セミナー会社の主宰者だったのです。

大企業で採用されている人材開発手法も、そのルーツを辿っていくとここまで見てきた潮流に繋がっています。

Ⅲ

精神世界とスピリチュアル

第7章 知識人を魅了した精神世界と大衆に浸透したオカルトブーム

知識人・高学歴を取り込んだ精神世界とニューアカ

⊗精神世界／ナショナリズム／ブッククラブ回／神道／古神道

ニューエイジの波は日本にも到来し、「精神世界」というムーブメントが起こります。「精神世界」という言葉は平河出版社の雑誌『ザ・メディテーション』（1977年刊行）や78年に行われた新宿紀伊國屋書店の「インドネパール精神世界の本」というブックフェアから知られるようになりましたが、ここにはニューエイジよりもさらに幅広いジャンルが盛り込まれました。

宗教学者大田俊寛《おおたとしひろ》は精神世界のジャンルとして「東西の神秘主義、錬金術、魔術、ヨガ、密教、禅、仙道、輪廻転生、超能力、占星術、チャネリング、深層心理学、UFO、古代偽史」を挙げており、精神世界ブーム初期の1980年に刊行された別冊宝島『精神世界マップ』には次のジャンルが掲載されています。

●精神療法
●悟りの心理学
●幻視宇宙学
●肉体と魂の瞑想療法
●神秘学：ヨーロッパ・アメリカ編
●環境デザイン学
●ニューエイジ・アカデミズム
●伝統をつぐ賢者たち
●神秘学

そして、その13年後に刊行されたブッククラブ回編『新しい自分を探す本：精神世界入門ブックガイド５００』（フットワーク出版、ブッククラブ回は精神世界専門書店として非常に有名です）ではさらに多様なジャンルが掲載され、主なものをまとめると次のようになります。

●健康・癒し（心理療法、ボディ・ワーク、ヒーリング、香り、色など）
●自己啓発（コンシャス・リビング、ビジネスなど）
●神秘主義・オカルト（神智学、シュタイナー、古代文明など）
●ニューサイエンス（ニューパラダイム、ニューサイエンス）
●東洋思想（インド、チベット、中国、日本など）

ここで「日本」が入っているのは重要で、島薗進は日本の新霊性運動（ニューエイジや精神世界など、グローバルに展開した、宗教に代わる霊性＝スピリチュアリティを求める運動全体を指す）の特徴として、ナショナリズムと合体する点を挙げています。

米国発のニューエイジでは西洋やキリスト教に対抗するものとして取り込まれた東洋思

想ですが、日本の場合はそれ自体が東洋の一部です。このため特に神道や古神道を通じて、保守やナショナリズムと相性がいい側面を持っているのです。

⊗知識人／ニューアカ／梅原猛／湯浅泰雄／中沢新一／浅田彰／現代思想／新宗教

精神世界に含まれるジャンルはスピリチュアルとほぼ同じですが、その発信者とメディアが異なっています。

スピリチュアルでは、スピリチュアル・カウンセラーやタレントが雑誌やテレビを通じてブームを牽引《けんいん》したのに対し、精神世界では知識人が書籍を通じて情報を発信していました。

この知識人には稲作が伝わる前、狩猟採集文化であった縄文文化に日本固有の信仰と本来の神道を見いだした梅原猛や、東洋の修行が無意識レベルの心身関係をコントロールできるとして「気」の研究を行った湯浅泰雄、チベット密教を紹介するとともにそれをフランス現代思想と接合した中沢新一などが含まれます。特に中沢新一は、80年代当時は浅田彰とともに「ニューアカブーム」の旗手としても知られていました。

ニューアカブームとは、1983年に出版された浅田彰のデビュー作『構造と力』（勁草書房）や、それに続く『逃走論』（筑摩書房）、中沢の『チベットのモーツァルト』（せりか書房）が大ヒットしたことに端を発する現代思想ブームです。

「ニューアカ」とは「ニュー・アカデミズム」の略で、57年生まれの浅田や50年生まれの中沢といった若手の大学人による新しいアカデミズムがイメージされていました。

今からは想像しづらいですが、当時は若者がこぞって思想書を読む状況があったのです。これらの書籍には難解な思想用語がちりばめられており（たとえば『チベットのモーツァルト』にはエクリチュール、セミオジス、アナクライズ、リゾームといった用語が次々と登場します）、ブームとはいってもその中心は大学生でした。

ニューアカと同様に知識人が主導した精神世界には高学歴な若者も多く、その中から、当時発生した新宗教に入信する人々も出てきたのです。

70年代以降にテレビや雑誌を席巻したオカルトブームとその衰退

⊗オカルトブーム／UFO／心霊／超能力／UMA（未確認動物）／秘境／「日本沈没」／『ノストラダムスの大予言』

超能力やヨガ、UFOなどは、精神世界が流行した80年代にはすでに一般にも知られていました。70年代に始まったオカルトブームがあったためです。

70年代オカルトブームに先立つ60年代には秘境ブームというものがありました。これはアマゾンやヒマラヤといった秘境の探検記や写真を通じて、先住民の変わった風習（鳥葬や干し首など）を楽しむもので、隠されたもの、ここにはない何かに思いを馳《は》せる嗜好《しこう》はオカルトと共通しています。

70年代に入るとUFOや心霊、超能力やUMA（未確認動物）といった本来ならば別々のものが「オカルト」と一括《ひとくく》りにされて流行します。

オカルトブームを振り返る際、特に象徴的なのは1973年です。高度経済成長の裏で問題になっていた公害に加え、この年には第1次オイルショックが発生し、人々の終末気分を反映するように小松左京のSF小説、およびそれを原作とした映画「日本沈没」がヒットします。「終末」ではさらに、1999年まで人々に世界の終わりを思わせ続けた五島勉『ノストラダムスの大予言』（祥伝社）が刊行され、大ヒットしたことからシリーズ化されました。

私は平成オカルト世代なのですが、1999年当時は小学生のオカルト少年で、どこかで見た7月7日に何かがあると期待して朝起きたら何も起きず、そのまま何事もなく7月が終わってしまったので落胆したのを覚えています。

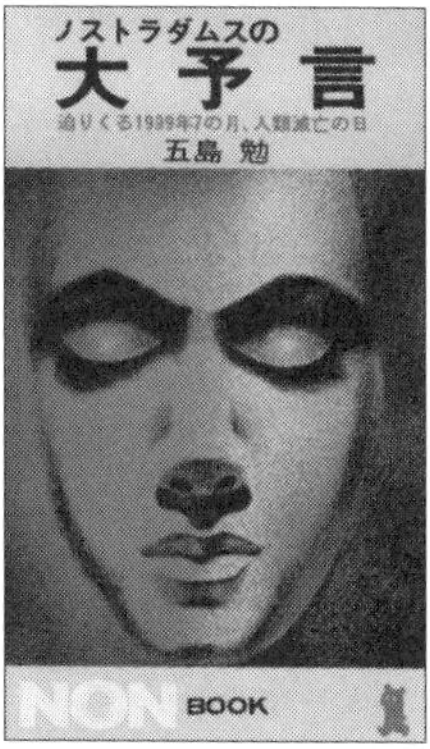

『ノストラダムスの大予言』の書影。シリーズ化されたうえに映画化もされた。

⊗ユリ・ゲラー／オリバーくん／矢追純一／「木曜スペシャル」／石原慎太郎／「あなたの知らない世界」／ネッシー／ツチノコ／川口探検隊／「エクソシスト」／「スターウォーズ」

テレビでは「ユリ・ゲラー来日」や「オリバーくん来日」「矢追純一 UFOスペ

シャル」といったオカルト企画で知られる日本テレビ「木曜スペシャル」が放送開始されます。

ユリ・ゲラーが来日したのは74年で、全国の子どもたちがスプーン曲げに熱中する超能力ブームを巻き起こしました。このとき生まれた超能力少年の1人が、後に最初の「パワースポット」本を生み出すことになります。また、オリバーくんは76年に来日したチンパンジーで、芸達者なチンパンジーを「人間とチンパンジーの間の生物」と謳って売り出すという、今からするとかなり際どいものでした。

心霊番組の草分けである日本テレビ「あなたの知らない世界」も73年から「お昼のワイドショー」枠で放送されはじめました。「心霊現象の再現VTRと専門家による解説」という構成を生み出したこの番組は、最初は単発企画だったものの、思わぬ人気から毎年お盆シーズンの恒例企画となります。ここから他局も同様の番組を放送しはじめ、「心霊番組」というジャンルが定着しました。

UMA（未確認動物）に関してもこの年に重要な出来事が起きています。

主役は後に東京都知事も務めた石原慎太郎で、彼を隊長にして結成された探検隊が、ネス湖にネッシーを探しに行くという日本テレビ「石原慎太郎の国際ネッシー探検隊」という番組が放送され、UMA捜索番組の走りとなります。ネッシー以降、水中に潜むUMAとして北海道屈斜路湖《くっしゃろこ》の「クッシー」、鹿児島県池田湖の「イッシー」、ニュージーランド沖で発見された「ニューネッシー」といったUMAが現れました。

また、72年に発表された田辺聖子の小説『すべってころんで』や、73年の矢口高雄による漫画『幻の怪蛇バチヘビ』によりツチノコブームも起きます。78年にはテレビ朝日「水曜スペシャル」でUMAを捜索する「川口浩探検隊」シリーズがスタートし、どうみてもヤラセに見える演出や、「人類未踏の地に初上陸」を謳いながら、探検隊を撮影するカメラはどう考えても先に上陸している、といった「お約束」を笑う視聴者が生まれます。

映画では74年にウィリアム・フリードキン監督「エクソシスト」が日本で公開され、新宿ピカデリー前に並んでいた長蛇の列が崩れて怪我人が出る事件も起きました。

また、78年にはジョージ・ルーカス監督「スターウォーズ」、スティーブン・スピルバーグ監督「未知との遭遇」、79年にはリドリー・スコット監督「エイリアン」、82年にはスティーブン・スピルバーグ監督「E.T.」、ジョン・カーペンター監督「遊星からの物体X」といったUFOや宇宙人をテーマにした映画が次々と上映されました。

UFOは77年のピンク・レディーの楽曲「UFO」や76年に日清から発売された焼き

そば「U・F・O」（ここでのU・F・Oはうまい、太い、おいしい）からわかるとおり、すでに一般に知られており、この後も多くのエンタメ作品が発表されていきます。

⊗雑誌『ムー』『コズモ』『MAYA（マヤ）』／オウム真理教／宜保愛子／大霊界／丹波哲郎／『神々の指紋』／1999年／地下鉄サリン事件／「特命リサーチ200X」「奇跡体験！アンビリバボー」「ビートたけしのTVタックル」

そして、79年には現在まで続く老舗オカルト雑誌『ムー』が学習研究社から創刊されます。オカルト雑誌としてはその他にも73年創刊の『コズモ』（後に『UFOと宇宙』に改題後、83年に版元を変え『トワイライトゾーン』に変更）や『ムー』の子ども版と言われた『MAYA（マヤ）』（版元も同じく学習研究社）などがありました。精神世界とオカルトには重複する部分が多く、『ムー』や『トワイライトゾーン』にオウム真理教の記事や広告が掲載されていたのは有名な話です。

オカルトブームはその後も80年代の宜保愛子《ぎぼあいこ》ブームや大霊界ブーム（俳優の丹波哲郎の霊界に関する書籍や映画のヒット）、90年代の学校の怪談ブーム、宇宙人解剖フィルム、グラハム・ハンコック『神々の指紋』（邦訳版は1996年に翔泳社より刊行）ヒット、ノストラダムスが予言した1999年到来など、波がありながらも続いていきます。

しかしながら、オカルト要素を色濃く持っていたオウム真理教が95年に地下鉄サリン事件を起こしたことや（この年でオカルトブーム終焉説もよく聞きますが、96年放映開始の日本テレビ「特命リサーチ200X」、97年放映開始のフジテレビ「奇跡体験！アンビリバボー」、テレビ朝日の「ビートたけしのTVタックル」の超常現象スペシャルなど、オカルト番組はその後も放送されていました）、99年のノストラダムスの大予言が外れたこと、デジタル技術の進歩によって画像や動画の編集が容易になったことからオカルトブームは00年代には衰退しました。

これに代わって21世紀からはスピリチュアルや都市伝説、陰謀論が流行することとなります。

安倍昭恵から読み解くスピリチュアルとイデオロギーの超越

⊗安倍晋三／安倍昭恵／反原発／放射能忌避／反防潮堤／反TPP／瑞穂の國記念小學院／神道／大麻

2020年4月、新型コロナウイルスが流行する中、当時総理大臣だった安倍晋三の妻、昭恵夫人が50名のツアー客とともに大分県の宇佐《うさ》神宮に参拝していたことが騒がれました。このツアーを主催していたのはMという男性で、「新型コロナウイルスは大宇宙の意思であり、DNAを書き換えてもらうことによって人類を進化させる」88次元からのメッセージを謳う書籍や、「コロナウイルスを愛の波動に変える高次元エネルギー曼荼羅《まんだら》」が掲載された著書を刊行し、スピリチュアル系のイベントにも登壇している人物でした。

安倍昭恵は第8章で紹介する『水からの伝言』の江本勝《えもとまさる》（↓270ページ）とも関係があり、江本経由でさまざまなスピリチュアルに感化されています。

東日本大震災後の反原発運動や放射能忌避投稿を行う人々にスピリチュアルや疑似科学と相性のいい自然派の方が多かったことから、スピリチュアルを左派と考えている方もいるかもしれません。

それでは、安倍昭恵は左派なのでしょうか。

確かに反原発や反防潮堤、反TPPなど安倍晋三とは異なる主張をしていた彼女は左派に見えるかもしれません。ところがその一方で、塚本幼稚園幼児教育学園を母体とする神道系小学校「瑞穂《みずほ》の國《くに》記念小學院」（一時期名誉校長だったものの後に辞退）に対して、教育勅語の朗唱や自衛隊への慰問、伊勢神宮参拝に感銘を受けたと語っており、さらには「先の大戦は解放戦争であり、ただ謝罪するのはおかしい」旨の発言も行い、**「神道儀式で重要な大麻は、先の大戦で負けてしまったために米国によって禁止された」という陰謀論も支持**しています。

左派の人がこのような発言をするものでしょうか。発言からはむしろ、安倍昭恵氏は根本的には保守であり、思想としては夫の安倍晋三とも共通していると考えたほうが自然です。

それではなぜ一見左派に見えるような活動を行っていたのでしょうか。その鍵がスピリチュアルです。

⊗神国／パワースポット／勾玉／元氣／和多志／GHQ

実は、**スピリチュアルは右派とも親和性が高い**のです。

たとえばスピリチュアル系の人たちを見ていると、日本を「神国」として天皇を礼賛したり、中国共産党を激しく非難するアカウントがあります。ここまでではないにしても、パワースポットとして神社を巡る人は多いですし、勾玉《まがたま》を使ったセラピーもあります。

また多いのは、「元氣」のように「気」を「氣」に置き換えたり、「私」を「和多志」と記述する人たちです（「和多志」で検索してみるとかなりの数いることがわかります）。

「氣」については、「『気』は中が『〆』になっているので言霊《ことだま》パワーが発揮できなくなってしまう。一方の『氣』は中が『米』になっているのでパワーが八方に広がる。日本人はもともと『氣』を使っていたが、言霊パワーを封じたいGHQが『気』に改めさせたのだ」という一種の言霊信仰と陰謀論によるものです。

「和多志」についても同様で、もともと使われていた「和多志」を、GHQが「私」に改めさせたという陰謀論が浸透しています（もちろん、そんなことはありません。戦前の文学を読めばすぐにわかります）。

⊗大麻／マコモ／古神道／平田篤胤／霊学／アカシックレコード

さらに、右派的なスピリチュアルを好む人は神事で使われる大麻やマコモを神聖なものとして大事にします。マコモとは水辺に群生するイネ科の植物で、菌の寄生によって根元が白く膨らみ、マコモダケと呼ばれる食材になります。こうした人たちからよく聞かれるのが「古神道」です。

スピリチュアル系の投稿で「古神道」という言葉を見たとき、私は「そんなに昔のことがわかっているのだろうか」と不思議に思いました。というのも、神道は長く仏教と一緒に信仰される神仏習合《しんぶつしゅうごう》（神道の神は仏の化身であるとする本地《ほんじ》垂迹説《すいじゃくせつ》が代表的です）の時代が続いており、古神道を「仏教が伝来する前の『純粋な神道』」とすると、仏教伝来より前に遡る必要がでてきます。

仏教が伝来したのは6世紀ですが（538年説を覚えるのに「ご参拝」と語呂合わせをした人は多いのではないでしょうか）、これは『古事記』（神道神話が多く収録されている最古の歴史書）の成立（8世紀）よりも早いのです。つまり、最古の神道聖典である古事記が成立した時点ですでに仏教は伝来していたわけです。

ここからさらに遡った神道の姿、いわゆる神祇信仰《じんぎしんこう》がどの程度明らかになっているのか疑問だったのですが、**スピリチュアル関連の本を読むと、どうもここで言われる古神道とは神祇信仰ではなく、平《ひら》田《た》篤胤《あつたね》に端を発する霊学の流れ**のようです。

たとえば大野百合子『レムリア&古神道の魔法で面白いほど願いはかなう!』(徳間書店)では、次のように書かれています。

> 古神道というのは、実際には江戸時代になってから平田篤胤や本居宣長が、本来の日本の「道」という考え方はこうなのだろうと復興したものですが、アカシックレコードから見ても、和に伝わる叡智はその教えの核にあるとともに、有効な儀式や行も古神道にたくさん伝えられています。
>
> (中略)
>
> 私たちは皆、神そのものの存在である分け御魂であることに、再び焦点を絞り始めたのが古神道であり、大本教などの古神道系の新興宗教です。今一度、「私たちは、本当は何者なのか」を探求し伝え始めました。しかし、当時はその思想が危険ととらえられ、大本教の出口王仁三郎は投獄されました。

スピリチュアルに触れていないと読み解くのがやや難しい文章ですが、ここで言われているのは、古神道とは平田篤胤や本居宣長といった国学者たちが「復興」したものだということです。

国学とは古代から伝わる日本固有の文化や精神を明らかにしようとする学問であり、古事記や日本書紀といった日本の古典が研究されました。特に平田は純粋な神道の姿を追い求めており、この姿勢が神道系新宗教の大本《おおもと》（「大本教」と言われることが多いですが正式には「大本」です）にも受け継がれることとなります。この後はこうした流れについて見ていきます。

ちなみに引用文中に突然アカシックレコードが出てくるのは、「ここで言っていることはアカシックレコードを読んだ結果からも正しい」というスピリチュアルな根拠づけのためです。

スピリチュアルな話を読んでいると「アカシックレコードをリーディングするとこうです」という言い回しが出てくることがありま

平田篤胤（1776－1843年）像。儒教や仏教と習合した神道を批判した他、霊的世界である幽冥界の研究も行った。

すが、「アカシックレコード」という古文書のようなものが実在するわけではありません。「宇宙人からのメッセージ」と同じく「直感的に受け取った何か」というイメージです。

⊗鎮魂帰神法／出口王仁三郎／大本／『日月神示』／『竹内文書』／外八洲史観／日本雛形論

平田篤胤は国学の中心人物として知られるため、その名前をご存じの方は多いと思います。

実は、彼は仏教が混じった神道を「俗神道」として批判し、イザナギ・イザナミによってつくられた日本こそが世界の中心＝「大地の元本」であって、外国は「枝の国」である、旧約聖書のアダムとイヴはイザナギ・イザナミ神話が誤って伝わったものである、といった国粋主義的な主張を行っていました。

平田の神道の根源への情熱は、鎮魂帰神法（精神集中法である鎮魂法と神懸かりを誘発させる帰神法からなる行法）を復興させた本田親徳《ほんだちかあつ》、言霊学を確立した大石凝真素美《おおいしごりますみ》といった人物に受け継がれ、これらが出口王仁三郎《でぐちおにさぶろう》による大本教義の基となります。

大本から離脱して「ひかり教会」を立ち上げた岡本天明《おかもとてんめい》が16年に渡って自動書記した『日月神示《ひつきしんじ》』は現在でもスピリチュアル系でよく参照される文書で、ガイドブックや予言の書として読み解く類の本が多く見つかり、新型コロナウイルスと結びつけている本もあります。

平田を源流とした、古代の神話を根拠として日本を優位に置く潮流にはかなり強烈なものもあり、日本の歴史が数億万年に及び、高度な超古代文明により天皇が世界に君臨していたとする『竹内文書』や酒井勝軍《さかいかつとき》によるピラミッド日本起源論、木村鷹太郎《きむらたかたろう》による外八洲《そとやしま》史観、出口王仁三郎による日本雛形論などが生まれました。外八洲史観とは、古事記に登場する淡島はアフリカ、新羅《しらぎ》はイタリア、富士は東ヒマラヤといった具合に日本ではなく世界の地理であり、ユダヤ教は記紀神話を基につくられたというものです。

出口王仁三郎（1871－1948年）。そのカリスマ性から急成長した大本は戦前二度にわたる弾圧を受けた。

また、日本雛形論とは北海道は北米大陸、本州はユーラシア大陸、四国はオーストラリア大陸、九州はアフリカ大陸、台湾は南米大陸に対応しており、日本は世界の雛形であるという説です。現在のスピリチュアルで見られる、「地球は宇宙の雛形説」はこの日本雛形論を発展させたものと考えられます。

この潮流を取り込んだスピリチュアルに見られるのは、「太古の智慧《ちえ》にすごいパワーが秘められているのではないか」という期待です。これはホゼ・アグエイアス（↓１０２ページ）の「マヤ文明にすごいパワーが秘められているのではないか」という発想と共通しており、**カウンターカルチャーから続く反近代志向を持つスピリチュアルは、今とは違う時代、すなわち古代への憧れを持っている**のです。

⊗反近代・反合理主義／スピリチュアル

前項のように保守的な方面のスピリチュアルも存在するため、右派でスピリチュアルな人は珍しくありません。

スピリチュアルは自然派や添加物忌避、反原発といった方面からは左派と、神道や天皇崇拝、古代日本の神聖視という方面からは右派と相性がいいのです。

スピリチュアルは左右のどちらかに寄っているわけでもなく、**左右両派が持つ反近代や反合理主義といった部分に共鳴している**と考えると合点がいくのではないでしょうか。

こう考えると、一見矛盾しているかのように思える安倍昭恵の行動にも一貫性が表れます。

彼女について取材した『安倍昭恵「家庭内野党」の真実』（文藝春秋）で、石井妙子は次のようにまとめており、私も同感です。

反原発、反防潮堤、大麻、神社、農業、天皇、神、宇宙、夢、平和……といった彼女のキーワードは、彼女のなかでは矛盾なく、すべて繋がっている。そして、そのベースにあるものは日本を神聖視する、危うさを含んだ、少し幼い思考ではないだろうか。

安倍昭恵は、反原発や自然農で知られた左派のミュージシャン・政治活動家、三宅洋平と意気投合し、オスプレイ用へリパッド建設反対運動が行われていた沖縄県東村の高江に降り立っています。

スピリチュアルは左右対立さえ超越してしまうのです。その三宅は現在、反ワクチン陰謀論を唱えるようになっています。

エクササイズ以上の意味を見いだされるヨガ

⊗チャクラ／ヨガ／オウム真理教／ハタ・ヨガ／クンバカ／アーサナ／クンダリニー

岸本斉史《きしもとまさし》によるマンガ『NARUTO』や富野由悠季《とみのよしゆき》監督『ブレンパワード』といったエンタメ作品に登場する「チャクラ」もスピリチュアルでよく目にするもので、もともとはヨガ用語です。

現在、ヨガは主にエクササイズとして広がっていますが、かつてのヨガのイメージを考えると隔世の感があります。なぜなら私が子どもの頃、1990年代のヨガのイメージといえば、カプコンによる格闘ゲーム「ストリートファイター」に登場するダルシムというキャラクターか、オウム真理教の空中浮揚のイメージであり、かなり怪しいものだったからです。果たしてこの2つは同じものなのでしょうか。

ここで少し、ヨガの歴史について説明しましょう。現在見られるような「ポーズを取るヨガ」の歴史について研究したマーク・シングルトン『ヨガ・ボディ』（邦訳版は2014

年に大隅書店より刊行）によれば、ヨガの歴史を辿ると紀元前3世紀の『カタ・ウパニシャッド』まで遡ることができ（さらに遡るインダス文明説については論争があります）、ヨガの根本経典として知られる『ヨガ・スートラ』の成立は250年頃、その解説書で現在もヨガの古典として有名な『ヨガスートラバーシャ』は500〜600年頃の成立です。

ところが、ヨガにはアーサナ（ポーズ）の他にも瞑想法や呼吸法、戒律といったさまざまな要素が含まれ、『ヨガ・スートラ』や『ヨガスートラバーシャ』ではあまりアーサナは重要視されていませんでした。

「ポーズを取るヨガ」として知られ、現在主流となっているヨガは「ハタ・ヨガ」であると言われることがあります。確かにハタ・ヨガにはアーサナの実践が含まれ、有名なテキストとしては『ゴーラクシャ・シャタカ』や15世紀の『シヴァ・サンヒター』、15〜16世紀の『ハタ・ヨガ・プラディーピカー』などがあります。

たとえば『ハタ・ヨガ・プラディーピカー』には15種類のアーサナが記載されています。

しかし、ハタ・ヨガには「シャトカルマ」と呼ばれる6種類の浄化法（長く細い布を呑み込むことによる内臓の浄化やヨガ式浣腸など）や、プラーナーヤーマまたはクンバカと言われる息止めを中心とした呼吸法によりプラーナ（生気）を身体のナーディ（脈管）に送り込み、クンダリニーと呼ばれるエネルギーを覚醒させることによってチャクラを開く、といった身体観も含まれます。その結果、サマディ（三昧）に至ってモクシャ（解脱）を得られるのです。

現代のヨガではアーサナによる健康増進が中心となっており、解脱が目指されることはほとんどありません。したがって、現在見られるヨガは、ハタ・ヨガともまた違っています。

さらには、19世紀にヨガを英語圏へと紹介したスワミ・ヴィヴェカナンダとブラヴァツキー（↓58ページ）も、アーサナを行うハタ・ヨガを嫌っていました。

ヴィヴェカナンダは近代ヨガに多大な影響を与えた『ラージャ・ヨーガ』（邦訳版は1997年に日本ヴェーダーンタ協会より刊行）の中で、「ハタ・ヨガは練習が大変難しく、1日で学ぶことは困難であり、精神の成長とはほとんど無関係であるため、私たちのヨガとは何の関係もない」と書いています。さらにアーサナについても、あくまで肉体鍛錬であり、精神の向上には繋がらないと考えていました。また、ブラヴァツキーもハタ・ヨガの修行を禁じていました。

ハタ・ヨガの苦行者たちはヨーロッパ人の目からは奇怪な存在に映り、またカースト制からはみ出した存在だったために、ヒンドゥー教徒からも蔑《さげす》まれていたのです。

1896 年、アテネオリンピックの開会式。

⊗オリンピック／身体文化

さて、『ラージャ・ヨーガ』が刊行された1896年には最初の近代オリンピックが開催されており、1893年には最初の近代ボディビルディング大会が開催されるなど、当時は身体文化が隆盛した時期でした。

インドはイギリスに統治されていたことから、ヨーロッパから「動きによる治療」として知られていた体操である「リン・システム」やボディビルディング、キリスト教青年会（YMCA）による体育教師養成学校などが持ち込まれました。実は**この影響から「インドの身体文化」として生まれたのが「ポーズを取るヨガ」だった**のです。

たとえば、現在もよく知られる「パワーヨガ」の源流となり、その他にもさまざまな分派を生み出した「アシュタンガ・ヴィンヤサ・ヨガ」は、スワミ・ヴィヴェカナンダによって考案され、1933年までに連合州の学校に広まっていた「ヨガ的体育」（ヨガをベースにして国内外のさまざまなエクササイズを取り入れた体育）や、デンマーク人のニールス・ブクによって編み出されたデンマーク式体操との類似点が指摘されています。

ヨガの研究書『ヨガ・ボディ』においてシングルトンは、「インドが身体文化の『独自プログラム』をつくり上げたとき、その名前のひとつが『ヨガ』だったのである」と書いています。

このタイプのヨガでは精神的成長ももちろん重視されますが、**「解脱」のような宗教的な部分は後退する**こととなります。

⊗オウム真理教／地下鉄サリン事件／ヨガ教室／千葉麗子／癒し

ニューエイジはこうした「ヨガ体操」にもスピリチュアルな意味づけを与え（伊藤雅之「現代ヨーガの系譜」『宗教研究』〈84・4〉2011年）、90年代、女性向けエクササイズとしてアシュタンガ・ヴィンヤサ・ヨガやパワーヨガが認知されてからは一般にも普及します。

日本においても、現在最も普及しているのはエクササイズとしての現代ヨガです。もともと宗教や東洋思想として研究されていたヨガは、70年代後半からエアロビクスブームとともに普及します。

このときの中心人物がパワーヨガで知られる綿本彰《わたもとあきら》の父、綿本昇《わたもとのぼる》で、ヨガ雑誌『Ｙｏｇｉｎｉ』の別冊『ヨガのすべてがわかる本』（エイムック）には、綿本彰氏による「父はいわば業界の異端児。けれど、即物的な部分を前面に出すことで、敷居の高かったヨガ界の間口を広げたと僕は見ています」という証言が掲載されています。

しかし１９９５年、この状況は一変します。

オウム真理教による地下鉄サリン事件が発生したためです。オウム真理教がヨガ教室だった時期があることや、「クンバカ」や「サマディ」といったヨガとも共通する言葉を使っていたことで、一気にヨガは怪しいものになりました。当時の空気を考えれば、１９９５年に登場した「ストリートファイターＺＥＲＯ」で、ダルシムが空中浮揚し、瞬間移動する「ヨガテレポート」という技が実装されたのも不思議ではありません。

こうしてピンチを迎えたヨガ業界は、社会学者の入江恵子によれば、「宗教色の排除」と「『良い』イメージの創造」により復活を試みました。

ヨガ雑誌のムック本で「日本のヨガ教室は身心の健康づくりが中心で、あまり精神世界には立ち入らなくなりました」「（宗教と関係ある？　という質問に対して）欧米や日本で広く行われているヨガは身心の健康のために伝統的な行法を応用しているものです」と記載して、宗教や精神世界とは異なることをアピールしました。

また、ヨガフェスタの代表に「電脳アイドル」千葉麗子を起用して女性向けのイメージを強化、さらに癒しブームやスピリチュアルブームに取り込まれることで、より**「女性が主に取り組んで癒しを得ている安全なもの」というイメージを獲得した**のです。

結果、2003年に米国から輸入されたパワーヨガが一大ブームとなり、業界は息を吹き返しました。

⊗チャクラ／オーラソーマ／スピリチュアルブーム／宗教勧誘／オーラ撮影体験

話をチャクラに戻します。

チャクラは「人間の身体にある7つのエネルギーセンター」とされ、それが開くとハタ・ヨガで触れたような解脱や、あるいは潜在能力の覚醒が起きるとされます。

現在見られるヨガ情報では、ほとんどの場合、次の7つの部位と色の対応で書かれています。

1. ムラダーラ・チャクラ：会陰部に存在し、色は赤。
2. スヴァディシュターナ・チャクラ：陰部に存在し、色はオレンジ。
3. マニプーラ・チャクラ：腹部に存在し、色は黄。
4. アナハタ・チャクラ：胸部に存在し、色は緑。
5. ヴィシュッダ・チャクラ：咽頭《いんとう》部に存在し、色は青。
6. アージュニャー・チャクラ：眉間に存在し、色は藍《あい》。
7. サハスラーラ・チャクラ：頭頂部に存在し、紫または白。

オーラソーマ（2色に分かれたボトルを選ぶカラーセラピー）から出発して、現代社会と自己啓発やスピリチュアルについて研究した加藤有希子『カラーセラピーと高度消費社会の信仰』（サンガ）によれば、実はハタ・ヨガの教本『シヴァ・サンヒター』やヨガを西洋に紹介したジョン・ウッドラフ卿の『蛇の力』（1919年刊行）では、チャクラは6つで、色も重要視されていない、とのことです。チャクラを7つとし、それぞれに色を割り当て

7つのチャクラ

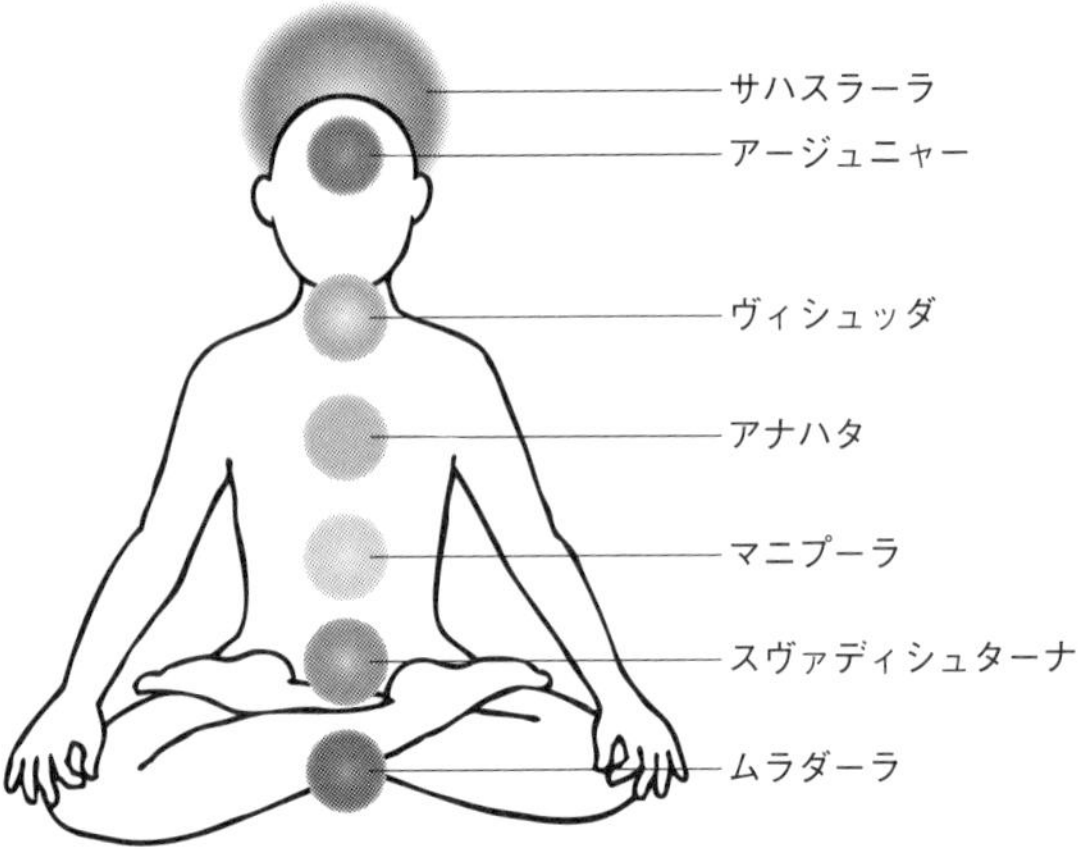

たのはチャールズ・リードビーターの『チャクラ』（1927年刊行）です。

リードビーターはブラヴァツキーの死後に神智学協会を率いた人物で、ここでも神智学からの影響（神智学には宇宙の周期や根幹人種など「7」が頻出します）が見られるのです。

精神世界臭を「脱臭」してピンチから脱出したヨガですが、スピリチュアルな部分が完全になくなったわけではありません。『ヨガのすべてがわかる本』から10年後、ヨガが世の中に定着した後に刊行された『Yogini』別冊『最新版ヨガが丸ごとわかる本』（枻出版社）では、「ヨガとスピリチュアル」という章が用意され、「エクササイズの卒業」というページでの「ヨガを始めると、ヨガが単なるエクササイズではないと知る」に始まり、次のような超越瞑想を思わせる記述が見られます。

この世の中にあるものは、すべて粒子や波動でできている。（中略）私達が音楽などに感動するのは、真我の振動、つまり私達が宇宙と共鳴していることに気づかせてくれるから。そして、私達がヨガをするのは、宇宙につながる真我の響きを滞りなく、うまくキャッチし続けるためなのだ。

さらには、スピリチュアルに目覚めた後に生活が至福で満たされる様子や、「行くべき方向がキラキラしているというか、あ、こっちだってわかる」と続きます。

この話は精神世界の頃であればかなり怪しまれたと思いますが、スピリチュアルブームを経た現在では、むしろ深いレベルに達するポジティブなものとして記載できるようです。これは**宗教勧誘に利用しようとする人たちによってはありがたい状況**です。

２０２１年5月10日、オウム真理教の後継団体に入信する女性が京都府警に逮捕されました。「ヨガのアンケートに協力して」と声を掛けた人物に対してヨガ講義を行い、そこから「地下鉄サリン事件とオウム真理教は無関係」などと言って教団への勧誘を行っていたためです。警視庁の注意喚起ポスターには、「勧誘するときは本当の名前を言いません。ヨガ教室や悩み事の相談だと言って近づきます」と書かれています。

また、オウム真理教の後継団体以外でも、「脳や腸に効く」「オーラ撮影体験」といった言葉で生徒を呼び込んでいる危険な業者があります。この業者は過去に「常識では考えられないような過酷なトレーニングで精神的・肉体的な虐待を受けた」として提訴されており、また国民生活センターにも「高額なコースを勧められる霊感商法である」という被害相談が大量に寄せられていました。

この教室は全国にあり、私もいくつか看板を目にしたことがありますが、見た目にはそんなに危ない業者であるとは思えません。

しかもこの団体のトレーニングは韓国系の心身修練法からきており、そもそもヨガとは関係がないのです。つまり、一般に普及している「ヨガ」という言葉を借りて、独自のプログラムを広げているわけです。

ヨガ教室に申し込む際には、問題がなさそうか一度調べてみるのが賢明です。怪しい団体はGoogleの関連キーワードに物騒な言葉が並ぶものです。

現在でも日々注目の的の2大新宗教

⊗新新宗教／阿含宗／世界真光文明教団／崇教真光／統一教会／GLA／オウム真理教／幸福の科学／『ムー』／『トワイライトゾーン』

オカルトや精神世界と歩調を合わせるように、1970年代以降の日本では、それまでとは違った志向の新宗教が勢力を伸ばしました。

それまでの新宗教といえば現世の問題、いわゆる「貧・病・争」を解消するものとして信者を集めていました（これを逆にした「健・富・和」という言葉が使われることもあります）。

しかしこの時期に発展した阿含宗《あごんしゅう》、世界真光文明教団、崇教真光、統一教会（現・世界平和統一家庭連合）、GLA（God Light Association）、オウム真理教、幸福の科学といった教団は終末論や超能力、霊界の重視といった現世を超越した要素を強調し、自分探しにも繋がる部分がありました。

こうした新宗教は新しい新宗教、「新新宗教」と呼ばれることがあります。終末論や超能力、霊界は精神世界やオカルトと共通しており、80年代には『ムー』や『トワイライトゾーン』といったオカルト・精神世界雑誌にオウム真理教の記事が掲載され、入信のきっかけにもなっていました。この節では、この時期に発展した新宗教で現在でも有名な幸福の科学とオウム真理教について見ていきます。

⊗幸福の科学／創価学会／大川隆法／アカシックレコード／超古代文明／神智学／GLA

まず触れたいのは幸福の科学です。

巨大教団として創価学会と共に名前が挙がることが多く、「新興宗教」として一括りにされることも多い幸福の科学ですが、創価学会はもともと日蓮正宗《にちれんしょうしゅう》の信者団体であり（日蓮正宗とは決裂しているのですが本書では詳しく触れません）、教義面では幸福の科学とはまったく違うものです。

ここでは、幸福の科学の基本書と言われる『太陽の法』を参考にその世界観を紹介します。

まず、幸福の科学にはスピリチュアルでもよく見られる霊界の「次元」や「多次元宇宙」という考え方があり、物質的次元とも接続しています。霊的次元が高いほど尊い存在です。

幸福の科学には「霊団」と言われる高次元霊の集団があり、低次元の存在を指導しているとされます。

幸福の科学の創世記もこの多次元宇宙観の下で展開されます。

幸福の科学では、まず最初に、「大宇宙の根本仏」が存在したとされます。ビッグ・バンの前にこの根本仏からさまざまな高次元意識霊が生み出され、ビッグ・バンで三次元世界ができた後、高次元意識霊たちによって現在の宇宙が作られたことになっています。

最初に生命が誕生したのは金星であり、金星の霊的生命体を使って地球人がつくられました。このとき金星からやってきた九次元大霊がエル・ミオーレで、後にエル・カンターレに改名します。そうです、これが教団の創始者である大川隆法《おおかわりゅうほう》です。大川隆法は現在、大宇宙の根本仏とも同一視されているため、実質的には宇宙の創造者となっています。

また、幸福の科学では約100万年にわたる文明史が語られます。ここでの根拠は「アーカーシャの記録」、つまりアカシックレコードのリーディングです。この文明史ではガーナ文明やラムディア（レムリア）文明、ムー文明といった超古代文明の栄枯盛衰が説かれます。文明が滅びるのはおおむね霊的なものを軽視する風潮や科学物質主義が広まったときです。

ここまで幸福の科学の世界観を見てきましたが、ある種の宇宙意識によって宇宙や惑星が生み出される宇宙創生観や地球以外の霊による人類の発生、さらには何度も滅亡を繰り返す古代文明や霊格の存在など、多くの部分が神智学と共通しています。

幸福の科学は直接的には1969年に設立されたGLAという新宗教（設立当時は「大宇宙神光会」）の影響を受けているとされており、**霊的な階層や現世を魂の修行場とする考え方、ムー文明やアトランティス文明が登場する歴史や指導霊との交信など、多くの教義が共通**しています。

大川隆法が化身であると宣言している「エル・カンターレ」も、もともとはGLAの教義に含まれていたものです。大川隆法は活動初期には高橋信次の霊言集を発行していました。また幸福の科学は次の章で取り上げる爬虫類型宇宙人陰謀論もその世界に取り入れています。

⊗オウム真理教／『マハーヤーナ・スートラ』／チャクラ／空中浮揚／透視／テレパシー／阿含宗／『虹の階梯』／細川護煕／小沢一郎／デーブ・スペクター／フリーメーソン

続いてオウム真理教について見ていきましょう。オウム真理教はさまざまな宗教を折衷した宗教と言われますが、その中心は「ヨガ修行によって超能力を得る」という考え方です。

麻原彰晃が1983年に開いた「鳳凰慶林館」（これは学習塾だったという話とこの頃からヨガ道場だったという話があります）が84年にヨガサークル「オウム神仙の会」となり、これが87年に改称して「オウム真理教」となります。オウム真理教はもともとヨガサークルだったのです。宗教学者島田裕巳がオウム真理教事件の全体をまとめた『オウム真理教事件Ⅰ武装化と教義』に、オウム真理教の経典として位置付けられていた『マハーヤーナ・スートラ』の内容が記載されているため、ここではごく簡単に紹介したいと思います。

まず、オウム真理教の世界観では、宇宙は現象界、アストラル界、コーザル界の3つに分かれています。身体には7つのチャクラが存在し、それぞれがアストラル界やコーザル界に行くための身体と関係しています。

修行としての実質的な意味を持っていたのはクンダリニー・ヨーガです。クンダリニー・ヨーガとは、人間の尾てい骨付近に蛇がとぐろを巻くようにして眠っている「クンダリニー」というエネルギーを上昇させ、7つのチャクラを開くもので、オウム真理教では7つのチャクラが覚醒すると超能力が目覚めるとされていました。

その超能力には空中浮揚や透視、テレパシーなどが含まれ、麻原の最初の著作は『超能力「秘密の開発法」』（大和出版）という修行法を紹介した本でした。こうした本からオウム真理教に入信した若者がいたことを考えれば、精神世界やオカルトが危険視されたのも無理はありません。超能力は得られなかったと思いますが、オウム真理教の修行で神秘的な体験をした信者は実際におり、光を見たり、空中に浮いたりといった体験が報告されています。

こうした**オウム真理教の教義に強い影響を与えたとされるのが阿含宗**です。阿含宗は1954年に桐山靖雄によって創始された仏教系の宗教団体で、71年に出版した『変身の原理：密教・その持つ秘密神通力』（文一出版）、72年に出版した『密教：超能力の秘密』（平河出版社）で密教やヨガの修行による知的能力拡大や超能力の獲得を主張していました。『密教：超能力の秘密』の冒頭にはこのような記述があります。

いま、進化したホモ・サピエンスが、ホモ・エクセレンス（筆者注：優秀なるヒト）の能力を獲得するのに、それほどながい時間は必要でない。ここにその能力を開発する特殊な技術がある。

これが、ホモ・エクセレンスのカリキュラムだ。

この技術によって教育すれば、ヒトはだれでも一変する。ピテカントロプス・エ

レクトスが、ホモ・サピエンスに変身し、地を這うサナギが一夜で空飛ぶ蝶になる。
（中略）
〝クンダリニー密教（ヨーガ）〟と名付ける秘密技術がそれである。

こうして超能力開発を謳った阿含宗は若者たちを惹きつけていくことになり、その中に麻原もいました。麻原は一時阿含宗に入信しており、そこで修行をしていました。

ところが阿含宗ではクンダリニー・ヨーガの伝授があまり行われておらず、不満を覚えた麻原は独自にヨガの研究を始めます。このとき参考にしたのが阿含宗系の出版社である平河出版社から発行されていた『ヨーガ・スートラ』や『ハタ・ヨーガ・プラディーピカー』といったヨガの経典で、著名なヨガ研究者である佐保田鶴治が翻訳したものでした。平河出版社は精神世界において中心的な役割を果たした出版社で、桐山の著作はもちろん、ここまでに出てきた『ビー・ヒア・ナウ』の翻訳書や最初期に「精神世界」という言葉を使った『ザ・メディテーション』、「オウムのネタ本」と言われた中沢新一の『虹の階梯』といった書籍がこの出版社から刊行されています。『虹の階梯』はオウム真理教が参考にした書籍では最も有名なもので、チベット密教の修行を実際に経験した中沢がその内容を紹介したものです。
この他、オウム真理教の修行法に影響を与えたとされる人物にダンテス・ダイジこと雨宮第二（ヨガや瞑想法の研究を行い複数の著書がありますが、その生涯は謎に包まれています）がいます。彼の『ニルヴァーナのプロセスとテクニック』（森北出版）には刺激的な注意書きが付されており、瞑想の際のポーズや呼吸法が具体的に記載されています。

本書を読み、
自己流に解釈して本書中の冥想行を行い、
正しい結果が得られなかったとしても、
（身心に異常を来たしたり、発狂や死の結末を迎えたりすること）、
それは、
あくまで本人の責任に
帰するものであることを弁えること。
できれば正師について
正しい指導の下に行ずることが

最も望ましい。

さて、ここで再びヨガの世界に戻ってみましょう。

チャールズ・リードビーターの『チャクラ』も翻訳している（これを出版したのもまた平河出版社です）、クンダリニー・ヨーガの研究で有名な本山博の『密教ヨーガ：タントラヨーガの本質と秘法』（宗教心理出版）という本があります。この本の中では、本山自身のチャクラが目覚めた体験について詳細に記載されています。

この内容は「脊柱《せきちゅう》をものすごい力が頭頂まで突き抜け、1～2秒ほどではあるが、たしかに自分の肉体が持ち上がった」というもので、まさに空中浮揚です。

オウム真理教が「おかしな教団だったから」唐突にヨガで空中浮揚や超能力と言い始めたのではなく、もともとそういう発想はあったのです。オウム真理教は陰謀論にも染まっており、機関紙である『ヴァジラヤーナ・サッチャ』ではユダヤ陰謀論を特集し、細川護熙や小沢一郎、デーブ・スペクターなどをフリーメーソンの手先と書いていました。

90年に行われた第39回衆院選で惨敗した際には不正選挙を訴え、その後95年に彼らが起こした地下鉄サリン事件は、精神世界ブームを頓挫《とんざ》させることになりました。

ニューサイエンスの衰退

⊗ニューサイエンス／東洋思想／全体論（ホーリズム）／『現代思想』

精神世界の中でも重要な位置を占めていたのがニューサイエンス＝ニューエイジ・サイエンスです。

文化研究者の一柳廣孝《いちやなぎひろたか》は、ニューサイエンスを「精神世界ブームを支える理論的フレーム」であると指摘しています。ニューサイエンスについて現在聞くことはほとんどありませんが、80年代を席巻したムーブメントとしてニューアカデミズム、ニューエイジと並べられるほどの立ち位置にありました。

ニューサイエンスを簡単に説明すると、**「これまでの科学が取り入れていなかった考え方を採用することで、新しい科学を模索する運動」**です。ここで持ち出される「これまで取り入れていなかった考え方」には、東洋思想や全体論（ホーリズム）がありました。

東洋思想は西洋で主に発展してきた現代科学に対するものとして、全体論は要素還元主義（研究対象を構成要素に分解して調べ、そこから全体を説明しようとする考え方）に対するものとして期待されたのです。ニューサイエンスは現在も刊行されている雑誌『現代思想』（青土社）でも特集が組まれ、当時の知識層に好まれました。

　ニューサイエンスの代表的な書籍としてはフリッチョフ・カプラ『タオ自然学』（邦訳版は１９７９年に工作舎より刊行）、ライアル・ワトソン『生命潮流』（邦訳版は１９８１年に工作舎より刊行）などがあります。

⊗カプラ『タオ自然学』／東洋思想／現代物理学／神秘体験／パワー植物

『現代思想』。代表的な思想専門誌として知られ、現在も刊行されている。

　カプラの『タオ自然学』は、東洋思想と現代物理学の調和による真理の追究を目指したパターンの代表格です。

　その中では素粒子物理学や相対性理論と仏教やヒンドゥー教、タオイズムとの類似点が繰り返し主張され、禅や瞑想によって世界観を洞察する東洋思想が真理に迫っていたことが示されます。東洋思想と現代物理学も同じく人間によって生み出されたものであり、両者を相互作用させることによって「新しい物理学」を生み出せると考えられたのです。

一部を引用してみましょう。

ヒンドゥー教徒がシヴァ神のコズミック・ダンスをとおして物質の本質を理解していくのに対し、物理学者は場の量子論をとおして同じことを理解していく。踊る神と物理の理論は、ともに人間の心の産物であり、それを生み出した人間のリアリティに対する直感的な理解を表すモデルなのである。

カプラは、東洋思想の実践によって得られる直感を現代物理学に生かそうとしたのは、彼自身が神秘体験を経験したことがきっかけであると書いています。

海辺に腰をおろしていたこのとき、これらの体験が生気をおびて甦ってきたのだ。宇宙から流れ落ちるエネルギーの滝、その中で、リズミックに脈打ちながら生成・

消滅する粒子、さまざまな元素の原子。それらとわたしの軀の原子がともにエネルギーのコズミック・ダンスを舞うのをわたしは「観た」。そのリズムを感じ、音を「聴いた」。そのとき、わたしは、それがヒンドゥー教徒の崇拝するダンス神シヴァのダンスであることを識った。


カプラは東洋思想に傾倒していた他、幻覚剤を思わせる「パワー植物」の使用経験についても言及しており、ニューエイジやカウンターカルチャーの影響が色濃く見られます。

カプラはこうも言っています。

「科学に神秘思想はいらないし、神秘思想に科学はいらない。だが、人間には両方とも必要なのだ」

⊗『生命潮流』／シンクロニシティ／100匹目の猿／グリセリンの結晶化

一方、生物学や生態学を中心に、複雑な世界に潜む神秘的な現象を取り上げたのがライアル・ワトソンの『生命潮流』です。

この本で有名なのは、「因果関係を超えた共起」であるシンクロニシティの例として取り上げられた、「100匹目の猿」と「グリセリンの結晶化」でしょう。

「100匹目の猿」とは、宮崎県の幸島《こうじま》でサツマイモを洗う1匹の猿が現れ、それが他の猿にも広まる中で、ある閾値《いきち》（ワトソンはこれを便宜的に100匹としています）を超えたところでコロニー全体に広がり、さらには他の島や大分県の高崎山でも見られるようになったというものです。

孤島の猿の行動が、物理的接触のない遠隔地にまで伝播することは、常識では考えられません。

ワトソンは「あることを真実だと思う人数が一定数に達すると、それは万人にとって真実となる、といった現象」であると書いています。

この話は自己啓発の文脈で、まるで事実かのように語られることがあります。しかし、実は『生命潮流』で**ワトソン自身が、「やむなく、詳細を即興で創作することにした」と書いている**のです。人々を勇気づける創作物は多くあり、それ自体は問題ないのですが、これを事実として語った場合にはやはり問題があります。

「グリセリンの結晶化」とは、どうやっても結晶化できなかったグリセリンが、ウィーンの工場からロンドンの得意先に運ばれる途中で偶然結晶化したものを持ち帰った研究者が、結晶化に成功したのをきっかけに、他の資料も自然発生的に結晶化したというものです。

ワトソンは「新たな精神構造、精神の種子」が関与していると記述していますが、人間の思考が物性に影響するとは、にわかには信じられない話です。実はワトソンが参考に挙げた論文にはこのようなエピソードは記載されておらず、かなり疑わしい逸話といえます。

グリセリンの結晶化については、マンガ『グラップラー刃牙《ばき》』（秋田書店）第二部の死刑囚編に徳川光成が話すシーンが存在し、これで知っている方も多いのではないでしょうか。

この節の最初にも書いたとおり、一時は持て囃《はや》されたニューサイエンスも、現在ではほとんど聞かれなくなりました。ヒンドゥー教やタオイズムの世界観が現代物理学と類似しているといってもそこに必然性はなく、瞑想で何かが「観えた」からといってそれが物理学的に正しいとは限りません。

もしも東洋思想によって物理学の新理論が次々に生まれ、それが実験で確かめられるようなことがあれば、全国の物理学科で東洋思想の講義が行われることになったはずですが、そうはなりませんでした。

ニューサイエンスで取り上げられた類似性や逸話は、主に自然科学ではなくスピリチュアルに取り込まれ、神秘体験の意義の補強や、謎めいた現象として現在でも聞かれるのです。

第8章 実利とカジュアルのスピリチュアル

船井幸雄が広めたビジネス系スピリチュアル

⊗船井幸雄／スピリチュアル／自己啓発／癒し／健康

一時はブームを巻き起こした精神世界ですが、バブル崩壊による景気悪化や（大勢の人が物質文明を超えた何かに思いを馳せるには物質的・経済的な安定が必要です）、オウム真理教が引き起こした一連の事件によって勢いが衰えます。

特にオウム真理教は、前述したラジニーシ教団（↓85ページ）との類似点や超能力開発、ヨガ修行といった要素を持っていたことから、精神世界やオカルトへの激しい批判を巻き起こしました。こうして精神世界は怪しいイメージを持つものになり、現在では「精神世界」という言葉もほとんど聞かなくなっています。

ところが、**これとほぼ同じものが00年代以降に名前を変え、「スピリチュアル」として広がっていく**ことになります。

意識変革による社会変革という志向を持つ精神世界や、謎とロマンを楽しむオカルトに対して、スピリチュアルは自己啓発や癒し、健康といったテーマが中心で、より実用的で実生活に取り入れやすいものとなっています。

このうち、スピリチュアルを自己啓発に活用した中心人物が経営コンサルタント会社、船井総合研究所（船井総研）の創業者として知られる船井幸雄《ふないゆきお》です。

⊗自己啓発本／波動／サムシンググレート

1933年、大阪府の神職の家系に生まれた船井幸雄は京都大学農学部の出身で、労務管理や安全管理を研究していた財団法人「安全協会」に5年間勤務した後、最初の独立をしますが、3年ほどで経営コンサルティング会社の「日本マネジメント協会」に就職します。その後、二度目の独立で起業した会社が「日本マーケティングセンター」で、これが後に改名したものが現在の船井総研です。船井総研は1988年に大阪証券取引所第二部に上場し、現在では東証一部上場企業となっています。

一代で東証一部上場企業をつくり上げ、ビジネス書としてもベストセラーを持つ（1972年に刊行した『変身商法』〈ビジネス社〉が有名）船井はカリスマコンサルタントとして知られていました。一方で、その思想はスピリチュアルなもので、精神世界のジャンルに含まれる著作も多数出版しています。

彼の著作には、

「この世は悪いカルマを清算する魂の修行の場でありすべては必然、ピンチや試練は魂を磨くチャンス」

「優位の波動は劣位の波動をコントロールする、良い波動を持つ人が悪い波動の持ち主を導く」

「すべてのことには大いなる全能の力、サムシンググレートが働いている」

「『宇宙の理』に従う人間を増やすことで100匹目の猿現象を起こし、地球維新を実現する」

といった内容が書かれています。考え方を変えることで世界をも変えられる自分になり、必然的に与えられた試練に前向きに立ち向かう気分になれる自己啓発本となっています。

船井はオカルトや精神世界系の出版社である、たま出版（テレビのオカルト番組で大槻義彦教授とよくバトルしていた韮沢潤一郎が社長）が１９８６年に設立した「たまメンタルビジネス研究所」の役員も一時期務めていました。

⊗波動理論／ＥＭ（有用微生物群）／脳内革命Ｏリングテスト／キネシオロジーテスト

船井は著作で思想を広めるだけではなく、類似の思想を持つ人物の紹介や、現在の科学を超越しているような商品（「本物」商品と呼ばれる）の紹介も行っていました。

その代表が１９９４年に始まった大規模イベント「フナイ・オープン・ワールド」（ＦＯＷ）で、そこで紹介された商品を斎藤貴男『カルト資本主義　増補版』（ちくま文庫）から引用してみましょう。

> あらゆる病気の原因になる〝活性酸素〟の発生を抑制するという健康食品「ＡＯＡアオバ」。〝波動エネルギー〟で食べ物本来の味を引き出すという食器「味来」。〝環境や健康に優しい〟という新しい栄養補給食品〝トリプルＸ〟。はめるだけで〝正しい呼吸法〟ができるようになるという指輪「θリング」。〝生命の水〟を生むとい

う浄化石「イオンセラミックス」。あらゆる植物を瞬時にして躍動させるという濃縮エキス「ビタナール」、および飲用の「命流美（めるびー）酵素」。気の流れを正常化させ自然治癒力を高めるという機械「BMD氣代謝誘導装置」。〝ゼロ磁場の地〟丹沢にある〝癒しの宿〟「七沢荘」……。

このラインナップを見ると、商品そのものは残っていなくても、理論としては今でも健康機器や健康食品で使われ、疑似科学と指摘されているものが目立ちます。

さらに、船井は本書でこの後触れる「波動理論」や「EM（有用微生物群）」「脳内革命」も紹介するとともに、著書で「Oリングテスト（人差し指と親指でつくった輪を引っ張って解けるかどうかで善悪を判別するテスト）」や「キネシオロジーテスト（伸ばした腕を押し下げた際の抵抗で善悪を判別するテスト）」「イヤシロチ（↓280ページ）」も取り上げています。

船井は自己啓発系スピリチュアルとともに、このような商品や理論を広げる役割も果たしました。

⊗陰謀論／自然派／スピリチュアル

第Ⅳ部とも関連する事項として、船井幸雄が陰謀論と接近していたことについても触れておきましょう。

船井が執筆していたウェブ上の連載では、元『フォーブス』のアジア太平洋支局長で『気象兵器・地震兵器・HAARP・ケムトレイル』（成甲書房）、『3・11人工地震テロ＆金融サイバー戦争』（ヒカルランド）といった著作がある古歩道《ふるふぉーど》ベンジャミンや、爬虫類宇宙人陰謀論やユダヤ陰謀論の著作を多く持つ太田龍《おおたりゅう》が紹介されています。太田龍とは2007年に対談本『日本人が知らない「人類支配者」の正体』（ビジネス社）も刊行しています。

前述したような**超科学を求める船井の姿勢と、陰謀論が主張する「闇の勢力が陰謀に利用する超技術」とが出会っている**ことがわかります。

また、太田龍は興味深い思想遍歴を辿った人物で、彼はもともと革命的共産主義者同盟（新左翼セクトとして有名な中核派や革マル派の元になったセクト）に所属する学生運動家でした。太田はその後アイヌ解放運動や環境保護運動に関わった後、90年代から陰謀論を主張しはじめます。彼は東洋医学や自然食にも関心を持っており、デヴィッド・アイク（爬虫類型宇宙人陰謀論を唱えた英国の陰謀論者、↓349ページ）と同じく自然派やスピリチュアルな要素を持つ陰謀論者でした。

船井幸雄は２０１４年に亡くなりましたが、どのような意図を持ってか、**晩年には「いまの世の中は、スピリチュアルなこととか食とか遊びなど、どうでもいいことに浮かれている人に、かなり焦点が当っています。一度そのようなどうでもいいことは忘れ、現実人間にもどってほしいのです」とスピリチュアル否定とも取れる言葉を残しています。**

しかしながら、彼が設立した勉強団体である「にんげんクラブ」は現在も多くの会員を抱えて継続し、根強い支持者がいます。

⊗波動理論／『水からの伝言』／引き寄せ／量子力学

船井幸雄によって見いだされ広まったものに、江本勝の波動理論があります。

江本勝と波動にピンとこない方も、『水からの伝言』（波動教育社）については聞いたことがあると思います。「ありがとう」や「愛・感謝」といった「良い」言葉をかけた水を凍らせるときれいな結晶が、「ばかやろう」や「ムカツク」といった「悪い」言葉をかけた場合は汚い結晶ができるという写真集です。

巷ではこのシンプルな話が一人歩きしていたのですが、この本では他にも「出口王仁三郎」（↓234ページ）を書いて見せると力強い結晶に、ベートーヴェンの「田園」を聞かせると美しい結晶になった、船井幸雄の愛の気を受けた水では緻密で美しい結晶になったというページも存在します。

少し考えただけでも、良いか悪いかは単語ではなく文脈で決まるのではないか、人名の場合は同姓同名がいたらどうなるのか、音楽は聴く人によって印象が違うのではないか、そもそも「見た目が美しいか醜いか」を善悪の基準にするのはまずいのではないか、といった疑問が浮かびます。

雪の結晶の形と周囲の条件の関係はかなり詳しくわかっており（中谷ダイアグラム）[1]、結晶の形に寄与するのは大気中の水蒸気量と温度であって、人間の意志が入り込む余地はありません。このため多くの科学者から批判が行われました。さらには『水からの伝言』に関連した、言葉の意味と水中の元素濃度の変化に関する発表が日本物理学会で行われた際に「それは科学ではない」という批判が飛ぶなど（科学の基本である再現性の確認を行っていなかったので当然です）、科学界からは完全に否定されました。

といってもこれはある意味当たり前で、**江本自身が「ポエムであって科学だとは思っていない」と答えている**からです。

つまり、『水からの伝言』は、**科学実験のような説明を行い、「波動」という科学のような用語を使っていながら、そもそも科学ではなかった**のです。

本書ではすでに、引き寄せと量子力学に関する類似の例を見ました（↓164ページ）。スピリチュアルの周辺では、このように「説明や用語は科学を思わせるものの、よく見てみると科学ではなくスピリチュアルの一種である」ものがよく見られます。

⊗波動理論／MRA／ラジオニクス／がん／オシロクラスト／カイロプラクティック

『水からの伝言』や類書である『水は答えを知っている』（サンマーク出版）には、端々に「波動」という言葉が登場します。実はこの波動が、『水からの伝言』を支える理論となっています。

江本勝は『水からの伝言』以前に、波動理論に関する本を多く出版しており、もともとは水の結晶というより、波動を主なフィールドとして活動していました。この波動理論を推薦していたのが船井で、『水からの伝言』にも「日頃からご理解をいただいている人物」として記載されています。これも写真集が流行した際にあまり触れられなかった部分です。

『水は答えを知っている』では、波動について次のように説明されています。

すべての存在はバイブレーションです。森羅万象は振動しており、それぞれが固有の周波数を発し、独特の波動をもっています。

これだけであれば量子力学における電子の波動性を思わせないこともありません。ところが江本の波動理論では、「愛の波動」や「ネガティブな感情の波動」など、人間の意識から波動が発せられることが書かれており、**科学で使われる「波動」とは別物**であることがわかります。

それではこの「波動」は、どこから来たのでしょうか。そのヒントは波動測定器（Magnetic Resonance Analyzer：ＭＲＡ）にありました。

『水からの伝言』にもＭＲＡについての記述があり、江本が設立した会社でも販売しています。これは１９８９年に米国のロナルド・Ｊ・ウェインストックが開発したもので、人体や感情に固有の波動を、４桁か５桁のコードで表すものです。これが日本にも持ち込まれ、さまざまな国産ＭＲＡが開発されています。

この「あらゆるものが発する波動」は、さらに遡って20世紀初頭のラジオニクスが源流です。これはアルバート・エイブラムスという人物によって生み出された概念で、カリフォルニア州医師会副会長も務めたエイブラムスは、「がんはそれぞれ固有の、ラジオ波のような波動を出している」と主張しました。

彼はこれを計測するため、箱にコイルや電池や抵抗を詰め込み、外に電線を2本出した「ダイナマイザー」を発明しました。エイブラムスは電線の片方をコンセントに、もう片方を患者の額に吸盤で付けることで患者の出身地や宗教、ゴルフのハンディキャップまでわかったというのですから、かなり怪しい機器だったことがわかります。

彼はさらに特定の波動を送り出す「オシロクラスト」という機器もつくり出し、ダイナマイザーとともにカイロプラクターに多く使われました。さまざまな代替医療が絡み合いながら、現代にまで影響を与えていることがわかります。

現在見られる波動関連機器にも「波動を転写して波動水をつくる」波動転写機能があり、ラジオニクスの頃から大枠が変わっていないことがわかります。波動本や水の結晶本で波動理論の宣伝を行い、MRAを売る。それが江本勝のつくり上げたビジネスモデルだったのです。

⊗MRA／科学信仰

それでは、一応は電子機器のように見えるMRAはどのような原理で動作しているのでしょうか。
これについては、自己啓発セミナー（↓193ページ）の項でも参考にした福本博文による記事（「波動汚染」『別冊宝島334　トンデモさんの大逆襲！』）がありますので引用しましょう。

サトルエネルギー学会（筆者注：波動を科学的に研究する学会）の上層部でも、波動測定器を疑問視する声が高まり、調査委員会が開かれるようになった。問題になったのは、主に四点であった。

1. MRAは極めて微弱な磁気を被測定物に与え、磁気共鳴を測定する高感度の磁気共鳴測定器であると言われているが、果たしてそのような機能があるのか。
2. コードネームは、どのような意味を持っているのか。測定器の何に対応している

のか。

3. どのようなメカニズムによって、共鳴、非共鳴を判定し、それを音の変化にしているのか。

4. 水に転写されるとしているが、どのような原理とメカニズムになっているのか。

サトルエネルギー学会の会員は、大半が製造業者なので、機械の中身を知らないわけがない。中身については、暗黙の了解事項だったのである。が、外部に公表しないことを前提に、測定器メーカーの関係者が回答することになった。そして、以下のことが判明した。

---

1. 微弱な磁気を測定する装置があるように言われているが、そんな回路は一つもない。

2. コードは、表示器に数字が出るだけで、その他の部分には何もつながっていない。機械の周波数、電圧、電流などにはいっさい関係がない。コードネームは、デタラメにつけた無意味なものである。

3. 出てくる音とコードは何の関係もない。音を出す装置は、掌に押し当てる金属球との間の電気抵抗のみによって決まる周波数の発振器からなっており、オペレーターの意志によって周波数を自由に変えることができる。

4. 科学的に言って、転写される構造はまったくない。

波動測定器は、インチキだった。つまり、「波動」そのものも業者が捏造したものにすぎなかったのだ。

「この結論は、黙っていましょうね」

サトルエネルギー学会調査委員会では、そのような申し合わせを行っている。

MRAが波動を測定していなくても、「スピリチュアル」や「おまじない」として扱われていればまだ問題はなかったと思います。しかし、まるで科学的に検証されているかのような持ち出し方をしているために批判を招いてしまいました。

ここには引き寄せと量子力学の関係でも見た「いびつな科学信仰」の利用と、ニューサイエンスの影響が見られます。

江本は科学者からの批判に対し、「科学ではなくポエム」とした後、同じ回答のすぐ後で「今後、研究者によって科学的に証明されていくと思う」と、一見矛盾するような発言を行っています。さらに『水は答えを知っている』の中ではニューサイエンスについて言及され、「グリセリンの結晶化」が持ち出されているのです。

ここでは**「新しい考え方を取り入れることで科学を革新する」ニューサイエンスが、「科学の衣をまとったスピリチュアルビジネス」に利用されています。**

⊗謎の黒い粉／水質浄化剤／MRA／TOSS（教育技術法則化運動）／江戸しぐさ／EM

2020年の夏、私のTLに「全国のあちこちで、謎の黒い粉がばら撒かれている」という不気味な報告が流れてきました。

黒い粉の正体はBという水質浄化剤。これは「ボランティア」という名目で水質浄化剤Bを有料配布し、「ため池に一度撒いただけで20年間水が澄んだまま」「太古の地球に戻る」といった謳い文句で池や河川へのばら撒きを推奨する団体によるものでした。隊員は約2万人もおり、ばら撒かれた中に水源地や農家のため池が含まれていたため問題になりました。Bはかなり前から水質浄化剤として売られており、一般的な製品としての効果があるとは考えられます。しかし、さすがに右記の謳い文句にあるような奇跡的な効果があるとは考えづらいものです（そもそも太古とはいつなのかという問題もあります）。

水質浄化剤Bの効果と理論について議論するグループを見ていたところ、ある部分までは常識的な理屈が付けられていたものの、突然MRAが持ち出されて、波動測定が行われていました。「波動が高いから奇跡的な効果を得られるに違いない」というわけです。

今でもスピリチュアルな効果の説明に波動を持ち出す人がいるのです。

『水からの伝言』が批判された大きな理由として、教育現場に広がっていたことも挙げられます。

「人体の70パーセントは水からできている、だから良い言葉を使おう」というロジックで道徳教育に使われていたのが問題視されました。

TOSS（教育技術法則化運動）という団体がウェブサイトに掲載していたためです。

TOSSは教員向けの指導案をまとめてウェブサイトに掲載しているのですが、この中にEM（有用微生物群。農業資材から出発し、水質浄化や放射能除染、難病への効果などさまざまな効果を謳っているものの科学的根拠がないと批判されている）、江戸しぐさ（傘かしげや肩引きといったしぐさが江戸時代に存在したとされるものの、歴史学的に根拠がないと批判されている）

といった、専門家から強く批判されている題材を取り上げることがあるため、たびたび問題になっています。

代表の向山洋一《むこうやまよういち》はEMを強く支持していた時期があるようで、EMに関する書籍も出版していました。EMも江本勝の波動理論を取り込むとともに船井幸雄によって推薦されており、ニューエイジ、精神世界やニューサイエンスに影響を受けた活動は相互に繋がり合っているのです。

⊗イヤシロチ／ケガレチ／カタカムナ／『竹内文書』／『上記』／人工電磁波

船井幸雄が広め、現在のスピリチュアルでも聞かれる言葉に「イヤシロチ」というものがあります。これは生命が活性化する場所のことで（逆の「ケガレチ」もあります）、船井はそのまま『イヤシロチ』（評言社）というタイトルの書籍を2004年に出版もしています。

イヤシロチは「カタカムナ」という文書から持ち出された用語です。これは科学者・電気技術者だった楢崎皐月《ならさきさつき》という人物が発表した文書です。

楢崎は兵庫県にある金鳥山で土地の電位分布を計測していた際、カタカムナ神社の宮司を自称する平十字《ひらとうじ》という人物と出会いました。楢崎がこの平から見せてもらった御神体の巻物がカタカムナで、彼は巻物をノートに書き写して持ち帰ります。そこには古代の日本で高度な文明を築いていたアシア族が使っていたカミツ文字（オカルトやスピリチュアルではカタカムナ文字と呼ばれることが多い）で超古代の智慧が書かれていました。この智慧には製鉄や鍛冶《かじ》、医療、農業、商業といった幅広い知識が含まれます。さらには、**天皇家はアシア族を滅ぼした一族の末裔である**とも書かれていました。

何とも胸躍らせるような物語ですが、カタカムナ文明やカタカムナ神社、その宮司である平十字が実在した証拠は見つかっておらず、また楢崎が書き写したノートと、その後発表した訳文（カタカムナとして主に流通しているのはノートではなく訳文）の内容が対応していないことから、**現在は楢崎の創作と考えられています。**

こうした一般的な歴史とはかなり異なる超古代文明について書かれた文書は古史古伝と呼ばれ、天皇家の祖先が800億年以上前まで遡られ、モーゼやブッダ、ムハンマドといった歴史上の偉人が日本に来ていたとする『竹内文書』、『古事記』や『日本書紀』では一代とされるウガヤフキアエズが実は72代に渡る世襲の名称であり、ウガヤフキアエズ王朝が存在したという『上記』など多数存在します。

イヤシロチはスピリチュアル系の健康アイテムを中心に使われており、スプレーするだけでイヤシロチ化できる液体やイヤシロチ空間をつくれる置物、撒くだけでイヤシロチをつくれる砂が結構な値段で売られています。

また、カタカムナについて言及しているグッズもあり、カタカムナパワーによって素粒子レベルへアプローチし、「人工電磁波」を防げるネックレスや、振ることでカタカムナ文字による高次元エネルギーと共振して高次元空間を生み出し、願いを実現する金属製のバレルや玉、さらにはＥＭを配合したプレートにカタカムナ文字をプリントすることで人工電磁波対策ができると主張する製品も売られています。

カタカムナにはさまざまなテクノロジーについての記述があったはずですが、現在目にするのはほとんどがイヤシロチに関連した健康商品です。「健康」というわかりやすい効果（先に挙げたグッズに効果があるかはわかりませんが）を持つビジネスの強さを実感します。

1　物理学者、中谷宇吉郎によって作成された図。大気中の水蒸気量と気温に応じてどのような雪の結晶が生成されるかが示されている。

元・超能力少年清田益章が端緒となったパワースポットとその大衆化

⊗パワースポット／清田益章／セドナ／ニューエイジ／ホゼ・アグエイアス

今では観光スポットとして定着しているパワースポットも、もともとはニューエイジや精神世界から生まれたものです。

あまり知られていませんが、「パワースポット」をタイトルに入れた本を最初に刊行したのは超能力者として知られる清田益章《きよたますあき》です。彼はオカルトブームから生まれた超能力少年の1人で、1991年に太田出版から『発見！パワースポット』という書籍を刊行し、パワースポットの説明や分類、具体例を記載しています。

その際に取り上げられたパワースポットは栃木県の二荒山《ふたらさん》や神奈川県の大雄山最乗寺《だいゆうざんさいじょうじ》といった寺社から山梨県の精進湖《しょうじこ》や熊本県の阿蘇《あそ》中岳といった自然スポット、東京の千住新橋や二重橋前まで多岐にわたります。

清田はパワースポットを「地球が宇宙からエネルギーを取り入れているポイント」とし、風水の龍脈《りゅうみゃく》（気が流れている経路）や龍穴（気が噴出しているポイント）、レイライン（地図上で古代遺跡を繋いでいるとされる直線）を裏づけにして説明しています。

この本の中には「ニューエイジ」という章があり、清田はニューエイジ・ムーブメントを「オレたちのムーブメント」としたうえで、パワースポットを紹介する理由を次のように説明します。

結局〝ニューエイジ・ムーブメント〟っていうものは、現代という時代のなかで、精神的な渇きを感じる人たちが増えていて、そういった渇きを癒すための手段なんだってことだよね。

そこでオレは、この渇きを癒すためにパワースポットというものを紹介するわけなんだ。

「パワースポット」という言葉自体は、それ以前からニューエイジや精神世界で使われており、国内では天河《てんかわ》神社（天河大弁財天社《てんかわだいべんざいてんしゃ》）、海外では米国アリゾナ州のセドナ、カリフォ

ルニア州のシャスタ山などが知られていました。

天河神社は毎年大祭に曲を奉納した音楽家の宮下富実夫《みやしたふみお》や、遷宮大祭での奉納演奏に参加し中沢新一との対談でも取り上げた細野晴臣《ほそのはるおみ》、『ガラスの仮面』で知られる少女漫画家の美内すずえ（『宇宙神霊記』で天河神社を紹介）、１９９１年に公開された内田康夫原作の映画「天河伝説殺人事件」によって有名になり、多くの若者が押し寄せる「テンカワブーム」を巻き起こしていました。

また、セドナやシャスタ山はホゼ・アグエイアス（↓１０２ページ）のハーモニック・コンバージェンス（↓１０５ページ、地球を霊的進化のサイクルに向かわせるべく大勢の人が参加した大規模瞑想イベント）で集団瞑想が行われた場所です。

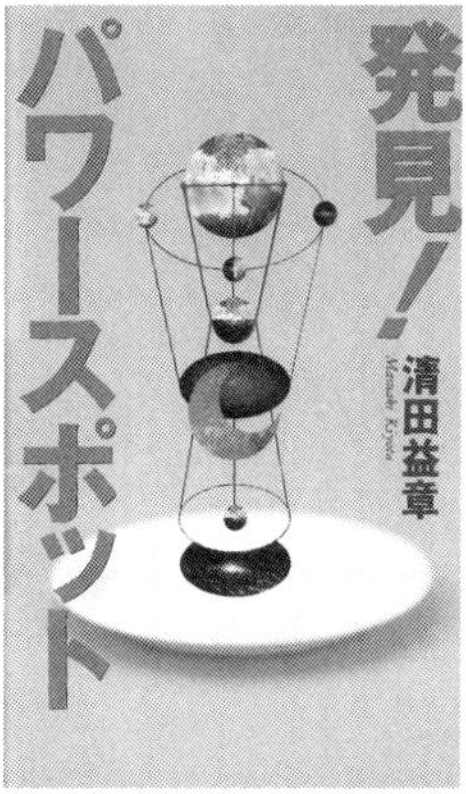

初めて「パワースポット」をタイトルに冠した清田益章『発見!パワースポット』書影。

⊗江原啓之／島田秀平／清正井

精神世界のキーワードだったパワースポットはその後女性誌にも取り上げられ、スピリチュアル・ブームの

清正井。一時は行列ができるほどの人気だった。

中で江原啓之《えはらひろゆき》にも紹介されるようになります。２００９年には手相鑑定で知られる芸人、島田秀平《しまだしゅうへい》（「号泣」の漫才を見ていた頃はまさか手相芸人になるとは思いませんでした）が明治神宮の清正井《きよまさのいど》を紹介したことから、数時間待ちの行列ができるほどの人気スポットとなり、本格的なブームとなります。現在では癒しや観光の対象として定着していますね。

宗教学者の岡本亮輔《おかもとりょうすけ》『宗教と日本人』（中公新書）や堀江宗正《ほりえのりちか》『ポップ・スピリチュアリティ』（岩波書店）でも指摘されていますが、パワースポットが辿った歴史を見ると、時代が進むとともにカジュアル化と目的の直接化が進んでいることがわかります。

パワースポットを紹介する人物を見てみると、

80〜90年代は精神世界の知識人や超能力者、00年代はスピリチュアルカウンセラー、10年代は芸人と、より怪しさの少ないジャンルになってきています。

目的については、精神世界では瞑想で宇宙のエネルギーを取り込んだり、天河神社にアーティストが集まっていたように何かしらの気づきを得るものでした。これがスピリチュアルブームでは「ご利益」を期待しながらも自分を見つめなおしたり、スピリチュアルな成長を得ることとなり、島田秀平になると**「金運アップ」や「開運」という、ストレートなご利益がアピール**されています。

⊗オウム真理教／聖地巡りツアー

このようにカジュアル化したからこそパワースポットは多くの人に受け入れられたのですが（超能力者が前面に出ていたらここまで広がらなかったと思います）、これは宗教的な用途に利用する人たちにとっては好都合です。

2014年8月、オウム真理教の後継団体が無登録で聖地巡りツアーを行い、数百万円の利益を上げていたとして家宅捜索を受けました。

これは信者ではない一般人も参加できるもので、この団体が活動報告や参加者募集を行なっているＷｅｂサイトには「パワースポット」という言葉が並んでいました。

もちろんこれは極端な例ですが、ニューエイジや精神世界から広がった言葉だ、というのを頭の片隅に置いておくと、ツアーの内容を詳しく見たり、主催団体の背景を調べるきっかけになり、事前にトラブルを回避できるかもしれません。

怪しさが脱臭された「癒し」という言葉が持つ汎用性

⊗癒し／ヒーリング

「癒しブーム」を経て、今やさまざまなところで使われる「癒し」ですが、第4章の民間療法で触れた通り、癒しやヒーリングもスピリチュアルと相性が良い言葉です。むしろ、今や癒しこそがスピリチュアルが提供する最大の価値となっているかもしれません。

かつて最大のスピリチュアルイベントとして知られたスピリチュアルマーケット（スピマ）も「癒しの見本市」と言われていましたし、それがすでに終了した２０２１年現在も、「癒しフェア」「癒しフェスティバル」「ヒーリングマーケット」といった癒しをテーマにしたスピリチュアルイベントが開催されています。その中でも癒しフェアは、東京ビッグサイトを会場とし、２０２０年11月22日、23日の２日間で1万３３６８名（オンライン含む）もの観客を集めた大規模なものです。

このイベントの出展者一覧から、ジャンルと出展数を記載してみます（癒しフェア2020

in TOKYO ホームページより引用、他の回では出展されていると思われるため出展数ゼロのジャンルも記載）。

NPO・NGO：0件
エコロジー：0件
オーガニック：1件
スクール：4件　※占星術、民間療法など
ストーン：8件
スピリチュアル：12件　※各種占い、チャネリング、ヒーリングなど
ハンドメイド：3件
ヒーリング：55件　※チャネリング、アロマセラピー、ヒプノセラピーなど
ビューティー：17件
フード&カフェ：5件
ペット：2件
ヘルス：26件

ホリスティック：2件　※心身全体の調和やバランスを重視する立場の健康観や医学
メンタルケア：10件
ヨガ：0件
その他：15件

ここから、全体160件中ヒーリングだけで55件と約34％、癒しに関係するヘルスやホリスティック、メンタルケアを入れると93件と全体の約58％を占めます。

しかもスピリチュアルジャンルにもヒーリングを行う出展者が含まれており、スピリチュアルと癒しやヒーリングは切り離せないことがわかります。癒しでは神秘的な力が使われるため、それがスピリチュアルと直結しているのです。

⊗癒しブーム／ニューエイジ／アロマセラピー

スピリチュアルが普及するうえでは、癒しが重要な役割を果たしてきました。

宗教社会学者の櫻井義秀は、『霊と金：スピリチュアル・ビジネスの構造』の中で、宗教情報データベース（宗教専門紙や全国紙・地方紙・スポーツ紙、主要月刊誌や週刊誌を収録したデータベース）を調査し、「癒し」という言葉と「スピリチュアル」という言葉の登場回数がほぼ同時期に増えていることを指摘しています。

登場回数が増えた年を見てみると、「癒し」は99年から急激に増えはじめて01年にピークを迎えており、「スピリチュアル」は99年から増えはじめ、「癒し」から少し遅れて06年に最大となっています。なお、「癒し」は99年末に流行語大賞トップテンに選ばれています。

また、文化社会学者の松井剛による癒しブームの研究書『ことばとマーケティング：「癒しブーム」の消費社会史』でも、日経4紙、朝日新聞、読売新聞、雑誌記事タイトルについて「癒し」関連の記事数を調査しており、ここでも90年代末からこの言葉に関する記事が増えはじめ、02年〜05年頃（メディアによってピークが異なるため）にピークを迎えていることがわかります。

この本では癒しブームの発展史について、小規模なヒーリングビジネスだった第Ⅰ期（88〜94年）、大企業が参入した第Ⅱ期（95〜98年）、急発展した第Ⅲ期（99〜2002年）、癒しが定着した第Ⅳ期（03〜07年）に分類しています。「癒し」という言葉は第Ⅰ期ではまだ浸透しておらず、この時期に「ヒーリング」という言葉で行われていたビジネスは自然食や精神世界に関するものでした。現在ならスピリチュアル・ヒーリングと言われるようなジャンルです。

ニューエイジ文化はこの時期の癒しブームにおける引用元であると指摘されており、癒し市場がスピリチュアルの範囲に収まっていたことがわかります。

ところが奇しくも精神世界が挫折した95年以降、大手レコード会社による癒しのCD、癒しを訴求する高級ホテルの宿泊プラン、大手化粧品メーカーによる主としてアロマセラピーから癒しを謳う製品の投入など、大手企業のマーケティングによって癒しが認知されていきます。

そして、流行語大賞にも選ばれた99年には第一三共ヘルスケアのビタミン剤「リゲインEB錠」のCM曲である坂本龍一作曲の「energy flow」がインストゥルメンタル曲で初めてオリコン1位を獲得し、ソニーのペット型ロボット「AIBO」、癒し系キャラクターの先駆け「たれぱんだ」のグッズがヒットします。

その後も東芝EMIのヒーリングCD「〜the most relaxing〜feel」や「美と健康、癒し」をテーマとした阪神百貨店の「リラクシア」、大手電機メーカーからのマイナスイオン家電（これも疑似科学なのですが）の発売や癒し系タレントなど、多種多様なジャンルで癒しが使われるようになり、世間に定着しました。
当初ニューエイジや**精神世界のものだった「ヒーリング」は、「癒し」というやまとことばに言い換えられ、一般にも浸透していった**のです。

⊗TOSHI洗脳事件／ヒーリングサロン／神世界事件／手かざし／霊感商法

癒しは今や一般名詞となり、スピリチュアル色もすっかり取れてしまいました。

しかし、この項目の最初で見たようにスピリチュアルでも「癒し」という言葉が使われており、またTOSHI洗脳事件の際、彼を洗脳していたM氏がヒーリングミュージックを販売していたこと、TOSHIが洗脳された際に行われていたコンサートが「癒しのコンサート」だったことを忘れてはいけません。

また、00年代（注目が集まったのは07年頃から）には「神世界事件」が起きています。これは全国にヒーリングサロンを展開していた有限会社「神世界」が、ヒーリングだけでなくそれを行う講習やライセンス、さまざまな物品販売や家の鑑定、家系図の鑑定などで多額の現金を集めていた上、勧誘の強要が行われていた事件です。

実は神世界はもともと、世界救世教の流れを汲む「千手観音教会」という宗教団体で、そこで行われるヒーリングは数々の新宗教で見られる「手かざし」という宗教行為を切り出したものでした。

先述の『霊と金』でも指摘されている通り、もともと小さな宗教団体だった千手観音教会がヒーリングサロンを全国展開するまでに発展したのは、「宗教をやめたから」と考えられます。

宗教団体は過去に数々の事件や社会問題を起こしてきたため、「宗教です」とやると逃げ出す人が大勢出てきます。ところが宗教行為とほとんど同じことをやっていても、「宗教ではなく、癒しの行為です」とすると全国展開できるまでに人が集まってしまうのです。

これは宗教勧誘の手口や宗教行為についてあまり触れる機会がない（普段から調べているのは研究者か物好きでしょう）ため、「宗教は危ない」というイメージが強い割にその中身があまり知られていないのも一因のように思います。

もちろん、**手かざしやヒーリングを行っているからといってすべてが危険というわけではありません**が、神世界の場合は入り口が高級感溢れるヒーリングサロンで、通っていくうちにヒーリングを行う側に回れる講習会やライセンスの購入、スタッフへの誘い、さらには教典である『神書』（あくまで有限会社なのに教典がある）、家系図や人脈鑑定、勧誘の強要（20人勧誘するように言われる）など、手軽な癒しから霊感商法に引き込む仕組みになっていました。

健康相談で「脳腫瘍《のうしゅよう》は手術しなくても治る」と言われ、卒倒した男性までいたようです。

神世界事件では被害対策弁護団が結成され、事務局開設後2週間で100件を越す相談が来たといいます。

多くの人が、まさか瀟洒《しょうしゃ》なヒーリングサロンが危険な霊感商法に繋がっているとは思わなかったのでしょう。闇への入り口は、すぐ近くにあるのかもしれないのです。

宜保愛子と江原啓之がテレビに与えた影響

⊗江原啓之／祈禱

70年代のニューエイジ、80年代の精神世界を経て、2000年代のスピリチュアル・ブームを牽引したのがスピリチュアル・カウンセラーの江原啓之です。

彼は大学の夜間コースに通いながら神社に奉職して神職資格を取得していますが、「公益財団法人日本心霊科学協会」の講師だった寺坂多枝子《てらさかたえこ》に師事するとともに、英国スピリチュアリスト協会（SAGB）でスピリチュアリズムを学んだ霊媒《れいばい》です。このため、彼の書籍では霊界や、そこにいる霊との交信、死んでも消えない「たましい」といった内容が登場します。

このようなスピリチュアリズムの日本におけるパイオニアは浅野和三郎《あさのわさぶろう》です。江原の師である寺坂多枝子が講師をしていた日本心霊科学協会を設立したのが浅野で、また江原が理事長を務める「日本スピリチュアリズム協会」の説明にも日本へスピリチュアリズムを伝えた人物として浅野の名前が挙がっています。

英文学者だった浅野は、三男の病気が祈禱《きとう》によって治ったことから霊的世界を研究し、一度は新宗教である大本（↓233ページ）に入信していました。しかし後に脱退し、1923年に設立した「心霊科学研究会」が日本心霊科学協会の前身です。

⊗宜保愛子／オカルト番組

江原は2001年に刊行した『幸運を引きよせるスピリチュアルブック』（王様文庫）が70万部を突破し、同年にはフジテレビの番組「こたえてちょーだい！」に出演、03年にはテレビ東京でレギュラー番組「えぐら開運堂」を持ちます。そして、04年からは年に数回放送されたフジテレビの特番「江原啓之スペシャル　天国からの手紙」へ出演、05年にテレビ朝日「国分太一・美輪明宏・江原啓之のオーラの泉」が始まるなど、スピリチュアル・ブームの中心人物として名を馳せました。

高橋直子はオカルト番組の変遷について研究した『オカルト番組はなぜ消えたのか』（青弓社）の中で、謎とロマンやその検証をテーマにしていたオカルト番組と、奇跡と感動をテーマにしていた00年代からのスピリチュアル番組とを比較しています。80〜90年代に活躍した霊能者、宜保愛子が出演していた「驚異の霊能力者」と、江原の「天国からの手紙」が比較されていますが、特に注目されるのがその立ち位置の違いです。

宜保愛子は登場してすぐにMCの徳光和夫から「ふつうのオバサンでいらっしゃいますね」と言われたり、バーゲンセールで買った服が色ばかり派手なことを口に出したりと、一般人と変わらない素朴なイメージを持たせるような演出がされていました。さらに、番組のテーマは宜保の霊能力を検証するものであり、霊能力の有無は視聴者の判断に委《ゆだ》ねられています。

⊗スピリチュアル番組／霊能力／オーラ／霊感商法／入信被害／陰謀論

一方の江原は、登場するなり「今回のテーマは想像力（の欠如）」と番組のテーマを自ら設定し、「今の時代に一番欠けているものが想像力だが、自分自身が別の立場になることもあるということをこの番組を通して理解していただきたい」と、霊能力や奇跡の解釈についても方向づけています。

ここには宜保の番組として見られたような、**霊能力の検証という姿勢はありません。**スピリチュアル番組では感動がアピールポイントになっており、オカルト番組のように「そんなことはないだろう」と突っ込みを入れるのは大変失礼なことになってしまいます。このためオカルト番組に存在していた「信じるか信じないかというよりは面白がるために見る」見物人層が存在する余地はなくなってしまいました。

オカルト番組がこのような構成を取っていたのにも理由があります。

民放各社が所属する「日本民間放送連盟」（民放連）の放送基準には、次のような規定があります。

（53）迷信は肯定的に取り扱わない。
（108）占い、心霊術、骨相・手相・人相の鑑定その他、迷信を肯定したり科学を否定したりするものは取り扱わない。

つまり、オカルトを肯定するような番組にしてしまうと、放送基準に触れる可能性があるのです。オカルト番組はこれを、「あくまでお遊び」という姿勢の番組構成にすることで乗り越えました。

一方のスピリチュアル番組では、霊能力やオーラを疑う要素は見られないため、右記の放送基準に抵触するようにも見えます。

このためブームの裏で批判もあり、2007年には全国霊感商法対策弁護士連絡会から、2月21日付で日本民間放送連盟、日本放送協会に対して要望書が提出されています。この要望書の中では、「霊能師と自称する人物が一般には見えない霊界やオーラを見えるかの如《ごと》く断言し、それをもとにさまざまな指摘をされるタレントがそれを頭から信じて動揺したり感激してみせるような番組や、占い師がタレントの未来を断定的に預言し、言われたタレント本人や周囲の人がこれを真にうけて本気で応答しているような番組」が霊感商法やカルト宗教への入信被害の素地をつくっており、カルト宗教による霊感商法でそのビデオが利用されていると批判されています。

癒しや感動、自己啓発といったわかりやすい効果が得られるスピリチュアルは、精神世界やオカルトを超えた広がりを見せました。

怪しさが薄れたように見えるスピリチュアルはしかし、陰謀論との不気味な結合も見せるようになっています。

Ⅳ

コンスピリチュアリティ

スピリチュアルと陰謀論

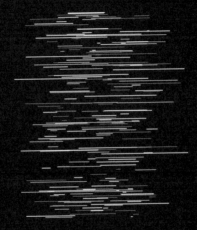

第9章 闇の勢力と闘う救世主ドナルド・トランプという虚像

急速に広がりはじめた「Qアノン」とは何か？

⊗ドナルド・トランプ／Qアノン／議事堂突入事件

2021年1月6日、アメリカ合衆国議会議事堂を取り囲んだ数千人の群衆が暴徒化し、議事堂を襲撃する前代未聞の事件が起きました。

この事件では死者も出たため、世界中に衝撃を与えたのは記憶に新しいでしょう。集まっていたのは当時米国大統領だったドナルド・トランプ氏の支持者で、ジョー・バイデン次期大統領とカマラ・ハリス次期副大統領の正式選出を妨害するための行動でした（実際にはそれまでに投開票は終わっており、意味のない行動です）。事件当時は、落選したトランプ氏

2021年、議会議事堂前の階段を埋め尽くす群衆。

の支持者の間で不正選挙説が広まっており、前日から大規模なデモや集会が行われていました。

議事堂に群衆が突入する様子や死者が出たことの他にも、この事件が注目された点があります。

議事堂に集まっていた人々や逮捕者の中に「**Qアノン」と呼ばれる陰謀論者が多くいた**ことから、「インターネットで増殖した陰謀論者が、現実世界で深刻な事件を起こしてしまった」と話題になったのです。

⊗匿名掲示板／ヒラリー・クリントン／バラク・オバマ／ディープステート／ピザゲート事件

Qアノンとは2017年頃から現れはじめた陰謀論者のグループで、2017年10月に「4chan」という匿名掲示板に現れた「Q」という謎の人物による投稿が直接の発端となっています。

Qは政府の機密情報にアクセスできる人物であると自称し、4chanの政治ボード（/pol/）に「嵐の前の静けさ」（Calm Before the Storm）というスレッドを立てて謎めいた投稿を行っていきます。

Qの投稿は「Q Drop」と呼ばれているのですが、短文なうえにかなり幅広い解釈ができるような表現がされており、掲示板の住民たちはある種のパズルに熱中しました。その結果、彼らが生み出したのが次のような陰謀論です。

「CIAやFBI、ヒラリー・クリントンやバラク・オバマは悪魔崇拝の小児性愛者集団『ディープステート（またはカバール、闇の政府とも）』の手先であり、国際的な人身売買に手を染めている。世界のセレブリティはこうして攫《さら》った子どもの生き血から抽出した『アドレノクロム』を摂取して若さを保っているのである。これを食い止めようとしている勢力が米軍内に存在し、彼らによって擁立《ようりつ》されたのがドナルド・トランプである。**トランプは闇の勢力と戦う救世主**なのだ」

コメット・ピンポン。

荒唐無稽と言っていいでしょう。

ところが、匿名掲示板で奇妙な妄想とも言える陰謀論を生み出す土壌は２０１７年以前から存在していました。

たとえば、Ｑアノンの先行形態として知られるピザゲート事件がそれです。

⊗ヒラリー・クリントン／児童売買／コメット・ピンポン／地下室

２０１６年に発生したピザゲート事件では、ヒラリー・クリントン陣営から流出したメールに含まれる「チーズ」「ホットドッグ」「ピザ」といった食べ物に関する単語が児童売買を表す暗号であると考えられ、いつの間にか「ワシントンのピザ店『コメット・ピンポン』の地下には児童売春施設があり、民主党の幹部が関わっている」という陰謀論が出来上がっていました。

これだけならネットで生まれた陰謀論や都市伝説で終わりでしたが、2016年12月4日には、なんと銃を持った男がピザ店に現れ、銃撃事件を起こしてしまいました。そもそも、「コメット・ピンポン」には地下室が存在しなかったのですが。

このように、ネットの妄想が重なって生まれる陰謀論は部外者から見ると理解できないほど現実離れしていますが、Qアノンはここ数年で急速に広まり、TwitterやFacebookが規制に乗り出すほどの存在になっています。そして発生したのが、米国議会議事堂突入事件だったのです。

実はこの**Qアノンは、スピリチュアルとも近い**関係にあります。次の節ではQアノンとスピリチュアルの関係について見ていきます。

陰謀論とスピリチュアルの融合「コンスピリチュアリティ」

⊗オーガニック／Qアノンシャーマン／陰謀論者／スピリチュアル／ANTIFA／ヨガ／民間療法／セラピスト／UFOスピリチュアリスト

議事堂突入事件で最も目立っていたのが、角の付いた毛皮の帽子をかぶり、タトゥーの入った筋骨隆々の上半身を見せつけていた「Qアノンシャーマン」ことジェイコブ・アンソニー・チャンスリーでしょう。ニュースでも度々取り上げられていたので目にした方も多いと思います。

いかにもマッチョな陰謀論者といった風貌《ふうぼう》の彼ですが、事件で逮捕された後、意外なニュースが報じられていました。

同容疑者の国選弁護士が「チャンスリー容疑者は、おそらく宗教上の理由で厳しい食事制限をしている。そのため逮捕されて以来食事をとれていない」と裁判官に

伝えたという。

（中略）

チャンスリー容疑者の母親マーサ・チャンスリー氏は「息子は1月8日以来、食事をしていません。彼はオーガニック食品を食べなければ、とても体調が悪くなってしまいます。文字通り体を壊してしまうのです」と説明している。

報告を受けた裁判官は、アメリカ連邦保安局と食事について相談するように伝え、連邦保安局はオーガニック食品を提供することを決めたという。

――毛皮とツノのトランプ支持者に、拘留所でオーガニック食品を提供へ「オーガニックでなければ体を壊す」ハフィントンポスト

筋骨隆々としたQアノンシャーマンが実はオーガニック信者であり、オーガニック以外の食事では身体を壊すために拘留所で食事を取っていないというのです。

あの見た目であればジャンクフードやプロテインを食べていそうな雰囲気さえ感じるのに、オーガニックとは意外に思った方も多いのではないでしょうか。

しかし、**実は陰謀論者（特にQアノン）にはスピリチュアルを支持している人も多く、**

Ｑアノンシャーマンもその一例です（ちなみに彼は突入映像がニュースで流れた後に、「あれはＱアノンではなく急進左派のＡＮＴＩＦＡ[1]（アンティファ）だ」という情報をネットに流され、味方からも攻撃されています）。

Ｑアノンシャーマンの他にも、その例はあります。ヨガや民間療法、セラピストやＵＦＯスピリチュアリストのインフルエンサーにＱアノン支持者が多くおり、そのサークルが陰謀論への入り口になっているという報告がいくつもあるのです。

⊗新型コロナウイルス／カバール／ＵＦＯ／プレアデス星人／爬虫類型宇宙人

さらに、私がこの現象に関心を持ったきっかけとして、新型コロナウイルスが流行しはじめていた２０２０年1月にTwitterおよびnoteで目にした次の投稿があります。

「カバール（Ｑアノンでも言われる闇の政府）は地球の人類を巻き込んで破滅しようとしているが何度も失敗した。そこで次の手段として選んだのが主にアジア人をターゲットにした生物兵器、新型コロナパンデミックである。プレアデス星人はこれに対応するため、とある聖なる言葉を三回唱えるだけで新型コロナウイルス感染症が治癒するテクノロジーを開発した」

ここでは、闇の政府という陰謀論と、プレアデス星人（良い宇宙人としてスピリチュアルでよく見られます）や民間療法（というより呪術に近いですが）というスピリチュアルの要素が融合しており、共通の語彙《ごい》を持つＱアノンにも言及した上、その情報を拡散していました。

この陰謀論グループはＱアノンよりも前から存在する、いわゆるＵＦＯ陰謀論の一派で、**もともとあった陰謀論がＱアノンや新型コロナウイルス陰謀論といった「旬な陰謀論」を取り込んでいる**ことがわかります。

また、これからわかるとおり、当初主流だったのは「コロナは存在しない」型ではなく「コロナは生物兵器」型の陰謀論でした。新型コロナが本格的に流行しはじめてから前者が優勢になったのです。

さらに注目されるのが、Ｑアノンと同様、このＵＦＯ陰謀論アカウントのフォロワーにもヨガやヒーリング関連のアカウントが多数存在していたことです。一見単なるリラクゼーションに見えるヨガやヒーリングですが、こうした「癒し」はスピリチュアルへと繋がり、スピリチュアルからプレアデス星人へ、プレアデス星人から（良い宇宙人が戦っている相手である）カバールや爬虫類型宇宙人へ、そこからＱアノンやＵＦＯ陰謀論へ至るルートが考えられます。

⊗コンスピリチュアリティ／陰謀／スピリチュアル／ニューエイジ

愛や平和、癒しといった女性的イメージのあるニューエイジ・スピリチュアルと、闇の勢力や歴史的事件の裏側といった物騒で男性的なイメージのある陰謀論は一見結びつきません。特に陰謀論の一部を占めるキリスト教保守派からすれば、反キリスト教的性格のあるニューエイジは悪魔の手先でさえあります。

ところが、陰謀論とスピリチュアルが混ざり合っていたり、支持者が重複している事例は、特にインターネットの普及後に見られ、この合体を指す用語もつくられています。「コンスピリチュアリティ」です。

コンスピリチュアリティとは、陰謀＝コンスピラシーとスピリチュアルを合わせた言葉で、２０１１年、社会学者シャーロット・ウォードとデヴィッド・ヴォアスによる『The Emergence of Conspirituality』という論文で提唱されたものです。

彼らはインターネットを調査し、女性が多数を占めるニューエイジと、男性が多数を占める陰謀論が意外にも合体しており、広がりを見せていることを指摘しました。

この論文ではコンスピリチュアリティが提示する信念として、次の2つを挙げています。

1. 秘密のグループが社会・政治秩序をコントロールしている、あるいはしようとしている。
2. 人類は意識の「パラダイムシフト」を迎えている。

1つ目は陰謀論から、2つ目はニューエイジから来ているものです。

彼らはインターネットで見られた具体例を挙げ、2002年を境とした2つの世代に分けています。


⊗コンスピリチュアリティ第一世代／ドナルド・トランプ／米国同時多発テロ事件／藤田幸久／9・11陰謀論

2001年以前の第一世代は、まだインターネットが普及していなかったことから、オフラインでの活動からオンラインへと移動した世代です。ここで挙げられているのはデヴィッド・アイク、デヴィッド・ウィルコック、スティーブン・グリアで、いずれも今でも有名な陰謀論者です。

デヴィッド・アイクは後に触れる爬虫類型宇宙人（レプタリアン）陰謀論で有名な人物で、古代から続く爬虫類型宇宙人による影の政府が世界を操っているという説を唱えています。これに対抗するにはどうしたらいいかというと、スピリチュアルな意識を高めた民衆が、超越的な力に目覚めることとされます。

ここでは、**「世界を操る影の支配者にスピリチュアルな次元上昇で対抗」というコンスピリチュアリティの典型パターン**が見られます。

デヴィッド・ウィルコックは１９９８年にウェブサイトを開設した人物で、ヒストリーチャンネルが好きな方なら「古代の宇宙人」に登場しているのを見たことがあるかもしれません。彼は影の政府は支配力を失っており、２０１２年に起こるスピリチュアルな「覚醒」に備えるよう訴えます。

ここまで読んできた方ならホゼ・アグエイアス（➡１０２ページ）と同じだとピンとくるのではないでしょうか。彼は宇宙人とコンタクトしているとも言っており、ＵＦＯコンタクティの系譜に連なる人物でもあります。

スティーブン・グリアは2001年に「ディスクロージャー・プロジェクト」を主宰し、UFOや地球外生命体に関する極秘プロジェクト「ブラック・プロジェクト」の証拠を暴露しました。彼の説では、「ラビッド・ドッグ」という影の政府がフリーエネルギー技術（要は永久機関です）を隠蔽しているとされます。彼もスピリチュアルな覚醒を支持し、宇宙人とのコンタクトについて語っていました。

この3人の陰謀論が驚くほど似通っていることがわかります。彼らは現在でも活発に活動しており、たとえばアイクは2020年に新型コロナウイルスに関するデマ動画をアップロードして、YouTubeチャンネルを削除されています。

また、ウィルコックは「トランプ元大統領は民主党の性的侵略者エイリアンを打ち砕く正義の代理人」「トランプ元大統領には、UFOや地球外生命体についての真実が知らされている」といった陰謀論を展開しています。

2001年9月11日には米国同時多発テロ事件が起こり、陰謀論の拡散と同時にコンスピリチュアリティも拡散しました。2003年には、ドイツ人の3分の1が9・11の背後に米国政府が関わっていると考えており、2006年の米国での調査も同様の結果でした。

また日本でも、2008年に藤田幸久《ふじたゆきひさ》議員（当時）が参院外交防衛委員会やワシントン・ポストの取材で9・11陰謀論を支持するような発言を行っています。

⊗コンスピリチュアリティ第二世代／神智学／闇の同胞団／ユダヤ陰謀論／『シオン賢者の議定書』／反ワクチン陰謀論

シャーロット・ウォードとデヴィッド・ヴォアスはその翌年、2002年以降をコンスピリチュアリティ第二世代としています。

この世代ではインターネット普及が本格化するとともにブログやSNSが生まれ、コンスピリチュアリティはさらに拡大しました。

第二世代として挙げられているのはジョン・パーキンスとプロジェクト・キャメロットです。

ジョン・パーキンスは米国のエリート企業による秘密支配を主張し、自らも小国の経済を不安定にするために働いていたと言っています。彼もこれまでの陰謀論者と同じく、現代が人類史上最も重要な「予言の時」を迎えており、意識の次元を上げる機会であるとしています。

プロジェクト・キャメロットは、ＵＦＯ研究家のビル・ライアンと映像作家のケリー・キャシディによって運営されている陰謀論プラットフォームで、アイクやウィルコックといった陰謀論者の動画をまとめています。

このようにしてインターネットを中心に成長してきたコンスピリチュアリティですが、時代を遡ると、すでに神智学（↓58ページ）では「闇の同胞団」という大聖同胞団に対抗して人類を堕落させようとする秘密結社が存在するとされていました。

さらに、神智学はユダヤ陰謀論とも関係しており、神智学の出版局は『ヘブライの呪符』というユダヤ陰謀論書を出版していました。また、ユダヤ陰謀論を世界に広めた偽書『シオン賢者の議定書』[2]はロシアで出版されて流布したのですが、もともとフランスにあった草稿をロシアに持ち込んだのはユリアナ・グリンカという人物であるとされています。彼女はブラヴァツキーやオルコットにも会っていた神智学徒で、『ユダヤ人の秘密』という陰謀論書もロシアに持ち込んだと推測されています。

このような神智学とユダヤ陰謀論・反ユダヤ主義の関係について、英文学者の横山茂雄がナチスとオカルト人種論について研究した『増補　聖別された肉体：オカルト人種論とナチズム』（創元社）では次のように書かれています。

神智学を初めとしてオカルティズムは反ユダヤ主義としばしば結合する。ユダヤ＝フリーメーソン陰謀説にせよ、ユダヤ人劣等人種説にせよ、そもそも現実に何の根拠も求めえない以上、それらの説を信奉する者たちは、眼前の現実に拒否され、もうひとつの「現実」、秘められた「真理」を説くオカルティズムに傾斜し、あるいは利用する。

現実的な証拠と理論ではなく、目に見えない世界や直感を重視するスピリチュアルと、常識的には考えられないような理屈で離れたもの同士を接続して妄想世界を構築してしまう陰謀論はもともと相性がよく、それがインターネットで加速されてしまったのです。コンスピリチュアリティは今やスピリチュアル市場の一角を占めるまでになり、さらにはアメリカ合衆国議会議事堂突入事件という現実の悲劇まで引き起こしてしまいました。

このスピリチュアルな陰謀論はコロナ禍を背景に新型コロナウイルス陰謀論や反ワクチン陰謀論も拡散しており、**「ごく一部の荒唐無稽な陰謀論」と無視できるような状況ではない**のです。

1　"anti-fascist"の略称で、〝反ファシスト勢力〟を意味する。1930年代にドイツで起こった反ファシスト運動をルーツとするとも言われ、米国ではトランプ大統領の当選後に活発化した。白人至上主義者やトランプ支持者と激しく衝突し、死傷者も出している。

2　20世紀のはじめ頃ロシアで出版され出回った文書。その内容はユダヤ人の長老たちが世界征服を画策しているというものであり、後のユダヤ陰謀論・反ユダヤ主義に多大な影響を与えた。1864年にフランスの風刺作家によって書かれた『マキャベリとモンテスキューの地獄での対話』という書籍との類似が指摘されており、偽書とされている。

第10章 我々の日常に侵食してきた陰謀論

怪しくも胸がときめくＵＦＯ陰謀論

⊗ＵＦＯコンタクティ／ＵＦＯ陰謀論／トルーマン大統領／ロズウェル事件／マジェスティック12／遺伝子操作／アブダクション／インプラント／スターウォーズ計画／キャトルミューティレーション／家畜化

第3章ではＵＦＯコンタクティについて触れましたが、ＵＦＯというオカルトジャンルは今に至る陰謀論のベースとなるＵＦＯ陰謀論も生んでいます。

ここからはオカルトや陰謀論に慣れ親しんでいない方には理解が難しい（難易度が高いというよりは現実離れしすぎているためです）話が続きますので、最初に木原善彦『ＵＦＯとポストモダン』（平凡社）から私なりに要点を紹介しておきます。

●ロズウェル事件をきっかけに、トルーマン大統領によって作られた「マジェスティック12（MJ-12）」という秘密組織が存在する。宇宙人に関するトップ・シークレットはこの組織が握っている。

●米国政府はすでに多くの円盤や宇宙人の死体を回収しており、生きた宇宙人とも接触している。

●宇宙人が地球にやってきている目的は、遺伝子操作によって人間との混血種を作るためである。この時人間や牛の組織が必要となるため、人間の誘拐（アブダクション）や家畜の虐殺（キャトルミューティレーション）を行っている。これは米国政府の許可を得ている。

●数十万人〜数百万人の人間が宇宙人に誘拐され、インプラントをされて（機器を埋め込まれて）いる。

●米国政府が宇宙人のアブダクションを許可していたのは宇宙人からテクノロジーを提供してもらうためだった。しかし、宇宙人は約束を破り、使える技術を提供しなかった。

●宇宙人の真の目的は人類を家畜化することであり、今や米国政府と宇宙人は戦争状態にある。

●ソ連の脅威に備えるためと言われている戦略防衛構想（SDI）、通称「スターウォーズ計画」は、実はエイリアンと対決するためのものである。

それではめくるめくUFO陰謀論の系譜を見ていきましょう。

UFO陰謀論のベースとなる物語要素は、おそらくは1980年に米国ニューメキシコ州シマロンで起こった遭遇事件から生まれたものです。80年5月5日、当時28歳だったミルナ・ハンセンは、6歳の息子を連れて車で帰宅している途中に5個のUFOが牧草地に着陸するのを目撃しました。彼女はこの事件について退行催眠を受ける中で、宇宙人によって牛が殺されたことや宇宙船の中で医学的検査を受けたこと、地下基地に連れて行かれ、一面に並ぶ水槽に人体のパーツが浮かんでいたことなどを思い出しました。

この退行催眠に同行していた空中現象調査機関（APRO）のポール・ベネウィッツは、

宇宙人が交信に使っている無線信号を解読したと主張し、研究成果を「ベータ報告」として発表しました。

その内容は、「宇宙人の当面の目的は人間との混血種をつくることであり、アブダクションを行う場合は人間を帰す際に機器を埋め込んで交信に利用している。これはいつでも作動させることができ、視覚や聴覚の情報も受信することができる。機器が埋め込まれた人間は少なく見積もっても米国だけで30万人以上、全世界では200万人以上となる。

さらにキャトルミューティレーション（家畜の虐殺）も宇宙人のしわざであり、これは遺伝子操作でヒューマノイドを生み出すのに人間や牛の組織が必要だからである。これらの活動は米国政府や米空軍の許可を得ている」というものでした。

ベネウィッツはさらに、「米国政府が宇宙人の活動を許可したのは宇宙人から技術を受け取るためだったが、宇宙人の裏切りによって欠陥品しかもたらされず、グレイと米軍の間で戦争が勃発している。実は**宇宙人の真の目的は人類を家畜化することだった**のである」とも主張しています。

この誇大妄想のように聞こえる説を唱えた彼はやがて調子を崩し、神経衰弱で入院してしまいます。

⊗マジェスティック12／Qアノン陰謀論／ディープステート

この次に出てくるのが秘密委員会「ＭＪ－12」です。

これは米空軍のリチャード・Ｃ・ドーティ軍曹から持ち出された「プロジェクト・アクエリアス」文書の中で初登場したもので、そこではＭＪ－12のみがトップ・シークレットにアクセスできると書かれていました。

ちなみにこの文書は、**後に書式の誤りが多数指摘され、偽物と判定されています。**

プロジェクト・アクエリアスは、さらにその要旨説明書と思われる文書が１９８６年に流出します。そこでは宇宙人とのコミュニケーションに成功したプロジェクト・シグマ、回収した宇宙人の円盤を飛行させるプロジェクト・スノーバードといったプロジェクトの他（これらの内容は83年にドーティがリンダ・ハウというジャーナリストに手渡していた「大統領への要旨説明書」にも見られたものです）、**２０００年前に宇宙人が人間の種子を地球に植え、文明を発展させる手伝いをした**という報告を宇宙人から受けたという内容が含まれていました。

ＭＪ－12に関しては87年に「オペレーション・マジェスティック12」文書が流出し、それがロズウェル事件（↓97ページ）に対処するために組織されたことやその初期メンバー、さらにロズウェル事件で回収された宇宙人についての調査結果などが記載されていましたが、これも後に**日付の記法やスタンプの形式の違いといった疑問点が多数指摘され、偽文書である**とされています。

この文書のコピーを提示したウィリアム・L・ムーア、ジェイミ・H・シャンドラ、スタントン・T・フリードマンは、他にもMJ-12の大統領要旨説明に関する1954年7月14日付の無署名メモのカーボン・コピーを国立公文書館で発見したと主張しましたが、これもトップ・シークレットとしての登録ナンバーや鷲《わし》の透かしが欠けていたりと不審な点が多く、**偽文書である**ことがわかっています。このメモを書いたとされるロバート・カトラーは、54年7月14日当時米国内にいなかったのです。

こうした奇怪な文書の発表はその後も続き、ベネウィッツの説にMJ-12陰謀論を折衷し、「SDIは宇宙人と対決するためのもの」という主張が含まれる「リア文書」、宇宙人によってクローン人間や雌雄同体生物がつくられているとする「ダルシー文書」などが公開されます。

特にリア文書は、「行方不明になっている子どもの一部は宇宙人が誘拐しており、分泌液などの採取に使われている」と書かれており、**Qアノン陰謀論の「ディープステートが子どもを誘拐し、生き血からアドレノクロムを抽出している」説とほぼ同じ内容がこの時点で見られる**ことがわかります。

⊗エリア51／日米欧三極会議／宇宙人の死体／ラージノーズ・グレイ／遺伝子実験／プロジェクト・ヨシュア／プロジェクト・エクスカリバー／植民地建設／新型コロナ禍／ワクチン

UFO陰謀論はテレビでも取り上げられ、「エリア51で秘密研究が行われている」という説が人々の間に広がります。

1989年3月、ネバダ州ラスベガスのテレビ局KLAS－TVは、謎の人物「デニス」へのインタビューを放送しました。以前、海軍情報部で働いていた物理学者を自称する彼は、ネリス空軍基地から北方に約65マイルほど離れたネバダ実験場に「ドリームランド」「エリア51」「ザ・ランチ」「スカンク・ワークス」といった地域があること、「S－4」という区域には9機の円盤があり、時折飛行していること、その動力源は反物質であることなどを証言しました。

突如として現れた謎の内通者「デニス」ですが、実はその正体はリア文書を公開したジョン・リアの協力者でした。

つまり、これまでとはまったく違うところから新たな証言者が出てきたのではなく、UFO陰謀論界隈の人物がそれらしい要素を付け加えていたというわけです。彼が証言した内容はかなり怪しいものでしたが、「エリア51で極秘実験が行われている」という内容はUFO陰謀論の定番となっています。

ここまで出てきた一連の説をさらに複雑にしたのがミルトン・ウィリアム・クーパーです。彼は1989年5月23日付で「シークレット・ガバメント」という文書を公開しました。この文書には、次のような内容が含まれていました。

●MJ－12（クーパーの場合はマジョリティの略とされる）が外交問題評議会やスカル・アンド・ボーンズ、日米欧三極会議（この三極は宇宙人の三角旗が由来とされる）といった秘密結社で構成されており、実質的に米国を牛耳《ぎゅうじ》っている。
●すでに多くの宇宙人の死体や生きた宇宙人が回収されている。
●人類はラージノーズ・グレイ（長い鼻を持つグレイタイプの宇宙人）によって創造され

た。彼らは秘密組織や宗教によって人類を支配してきた。
●ラージノーズ・グレイは政府と技術提供に関する密約を交わしていたが、条約を破ってアブダクションやミューティレーションを行っている。この目的は遺伝子実験である。
●宇宙人を倒すために政府が低周波音波砲「プロジェクト・ヨシュア」や1メガトンの核弾頭「プロジェクト・エクスカリバー」といった秘密兵器を開発している。
●西暦2000年までに人類は地球に住めなくなるため、政府は一部の人間を格納する秘密都市の建造（第二の選択）や宇宙人の技術を利用した月と火星での植民地建設（第三の選択）を計画している。
●実は月には濃い大気があり、雲が浮かんでいて植物も生えている。

これはごく一部で、他にも荒唐無稽な話がたくさん含まれているのですが、クーパーの説はこれまで見てきた文書やアダムスキー、さらには「第三の選択」というBBCがエイプリルフールに流したジョーク番組の折衷でした（ジョークとして扱っていても、信じてしまう人や陰謀論に組み込んでしまう人がいるのはこの頃から変わらないようです）。

陰謀論は自由に内容を変えられるうえ、解釈の幅も広いため、あらゆる物語を取り込んでいきます。

このため、現在でも新型コロナ禍やワクチンに過去の陰謀論から持ってきた要素を折衷した物語がつくられています。

⊗ニューエイジ／UFO陰謀論／チャネリング／宇宙意識／合成人間／ロボロイド／プレアデス星団／UFOコンタクティ

90年にはニューエイジと融合したUFO陰謀論も見られました。

ワシントン州オリンパスのニューエイジ系チャネリンググループ、コスミック・アウェアネス・コミュニケーション（CAC）が、「公開チャネリング」の内容をまとめた「悪夢の殿堂」という文書を発表しました。

ここでは、「宇宙意識」が「政府はすでに空飛ぶ円盤を入手している」「地下研究所で生物実験が行われている」といったこれまでの陰謀論はすべて真実であるとし、次のような主張が行われています。

●地下に文明を築いている宇宙人の末裔《まつえい》がおり、全世界に張り巡らされた地下トンネルのネットワークがある。

●猫は猪に人間の遺伝子を組み込んだ生物であり、猫はグレイ型宇宙人の遺伝子からつくられた。

●企業の重役たちを「合成人間」や「ロボロイド」に入れ替える作戦が秘密裏に進行している。

●シリウスやオリオン座、プレアデス星団からやってきた20万もの宇宙人が地下で暮らしている。

ここに至って陰謀論の情報源は、**「政府の秘密を知る人物の暴露」から「宇宙意識とのチャネリング」となっており、情報が流出するまでの設定や偽造文書すら必要なくなっています。**

UFOコンタクティは、一応はUFO陰謀論と同じUFOジャンルに属しており、チャネリングを行うニューエイジ系の人々が陰謀論を取り込むのは不自然ではないと感じるとともに、UFOというジャンルが持つ幅の広さを思い知らされます。

⊗「ゼイリブ」／「インデペンデンス・デイ」／「ロズウェル - 星の恋人たち」／「メン・イン・ブラック」

ＵＦＯ事件や陰謀論には突拍子もない話が含まれる一方で、さまざまなエンタメ作品に取り入れられています。

たとえば、ある日拾ったサングラスが、実は人間に擬態したエイリアンを見抜けるサングラスで、人類がエイリアンに支配されていることを主人公が知るジョン・カーペンター監督「ゼイリブ」はＵＦＯ陰謀論そのままの話です。

また、ロズウェル事件はローランド・エメリッヒ監督の映画「インデペンデンス・デイ」や、日本でも放送されたＷＢネットワーク制作のドラマ「ロズウェル - 星の恋人たち」といった数々の作品に登場します。

さらに、映画を通じてオカルトファン以外にも知られるようになったものとして「メン・イン・ブラック」があります。

その内容は、「ＵＦＯや宇宙人を目撃した人物のところに黒い服を着た男たちがやってきて脅迫される」というもので、１９５３年に国際空飛ぶ円盤局（ＩＦＳＢ）を率いていたアルバート・ベンダーという人物が主張した陰謀論です。

これは１９９７年にバリー・ソネンフェルド監督でそのまま「メン・イン・ブラック」という映画がつくられ、その後シリーズ化されました。ちなみに劇中ではトミー・リー・ジョーンズとウィル・スミスの２人組でしたが、ベンダーの証言では３人組です。

エンタメ作品にも取り入れられるＵＦＯ陰謀論にはどこか我々の胸をときめかせるところがあり、現在もさまざまな陰謀論に取り入れられて拡散しています。

「都市伝説」のエンタメ性とその毒

⊗都市伝説／オルレアンのうわさ／地下室／コメット・ピンポン／だるま女／消えるヒッチハイカー

「信じるか信じないかは」と言ったら、「あなた次第です」と続けられる人は多いでしょう。

今や大抵の人が1つくらいは知っていてもおかしくない「都市伝説」ですが、これにも危険な面があります。

都市伝説と同様の概念は、フランスの社会学者エドガール・モランが1969年に著した『オルレアンのうわさ：女性誘拐のうわさと神話作用』（邦訳版は1973年にみすず書房より刊行）で「都市の神話」「現代の神話」といった言葉で提示されていました。

書名にもなっている「オルレアンのうわさ」というのは、1969年にフランスの都市オルレアンで流行した、「ブティックの試着室に入った女性が忽然《こつぜん》と消えてしまう事件が相次ぎ、誘拐された女性は60人に及ぶ。実は事件が起きている6軒のブティックは地下通路で繋がっており、消えた女性は麻酔を打たれて地下へ運ばれている」という噂です。「地下室や地下通路で怪しいことが行われているパターン」は人々の琴線に触れやすいのか、ピザ店コメット・ピンポン（↓308ページ）でも目にした設定です。

「オルレアンのうわさ」は日本の都市伝説にも影響を与えており、「旅行先の試着室で忽然と消えた女子大生が別の国で見世物にされる」という「だるま女」に改変されています。

「都市伝説」という言葉を定着させたのは米国の民俗学者ジャン・ハロルド・ブルンヴァンです。彼の『消えるヒッチハイカー：都市の想像力のアメリカ』（新宿書房）は1988年に日本でも翻訳が出版され、「都市伝説」が知られることになりました。

都市伝説としての「消えるヒッチハイカー」は、「ヒッチハイクで乗せた相手が実は幽霊で、目的地として指定された家に着くと消えている。家の住民に聞くと、数年前に家族が亡くなったことを知らされる」という話です。

日本ではヒッチハイクが一般的ではないため、「タクシーの乗客が実は幽霊だった」という話に変化しています。『消えるヒッチハイカー』には、戦前の韓国にも日本と同様にタクシーに置き換えられた話が存在したと記載されており、**都市伝説が思いのほか国際的である**ことがわかります。

⊗第一次都市伝説ブーム／人面犬／佐川の赤ふん／まゆげのあるコアラのマーチ／口裂け女／学校の怪談／トイレの花子さん／走る銅像／コックリさん

その後の90年代前半には、若者の雑誌投稿や女子大生・女子高生で広まっていた「人面犬」や「佐川の赤ふん」「まゆげのあるコアラのマーチ」といった噂話を集めた書籍が都市伝説本として刊行され、「第一次都市伝説ブーム」が起こります。

また、日本産の都市伝説第一号と言われる「口裂け女」が子どもを中心に広まった噂だったように、子どもの間でも噂が流行しやすく、同時期には「学校の怪談ブーム」が起きています。

1990年の常光徹『学校の怪談』（講談社）や1991年の日本民話の会学校の怪談編集委員会『学校の怪談』（ポプラ社）が大ヒットし、子どもたちの間に学校の怪談が広まります。

常光徹は公立中学校に勤務しており、子どもたちから学校の怪談を収集していました。また、日本民話の会には『龍の子太郎』（講談社）で知られる松谷みよ子が参加しており、現代の民話について研究していました。

このように、学校の怪談ブームにはもともと民話研究の側面があり、研究のために収集された怪談が出版されることで子供たちに知られるようになったこともブームの大きな要因となっています。

学校の怪談についての研究書である一柳廣孝『「学校の怪談」はささやく』（青弓社）では、２００５年当時大学４年生〜大学院１年生だった24人の学生について聞き取りを行ったところ、記憶している学校の怪談の内容がかなり似通っていた（トイレの花子さん、走る銅像など）という結果が記載されています。これらはブーム当時書籍やテレビ番組、映画などで流布されていたものであり、全国の学校に怪談が存在したというよりはメディアの影響が大きいのではないかと推察されています。

１９９５年の夏には映画「学校の怪談」が放映され配給収入15億円、同年邦画では第4位のヒットとなりシリーズ化されます。私もこの世代なので、95年の映画「学校の怪談」やその翌年の映画「学校の怪談2」、香月日輪《こうづきひのわ》の小説を映画化した「地獄堂霊界通信」を見に行き、教室で学校の怪談に関する書籍の回し読みやコックリさんが流行っていたのを覚えています。

⊗第二次都市伝説ブーム／くねくね／コトリバコ／杉沢村／関暁夫

そして2000年代、インターネットの普及とともに「第二次都市伝説ブーム」が起こります。

第二次ブームでは第一次ブームですでに知られていた都市伝説の他、2ちゃんねる（現5ちゃんねる）のオカルト板を代表とするインターネット空間で形成された「くねくね」や「コトリバコ」「杉沢村」といったネットロアをまとめたサイトが人気となり、同様のテーマでまとめたコンビニ本が大量に刊行されるとともにテレビでも取り上げられ、爆発的に普及しました。

このブームの中心人物はなんと言っても「Mr.都市伝説」関暁夫で、2006年に刊行した『ハローバイバイ関暁夫の都市伝説：信じるか信じないかはあなた次第…。』（竹書房）はベストセラーとなったためにシリーズ化され、また、「信じるか信じないかはあなた次第」というフレーズはテレビ東京「やりすぎコージー」から派生した「やりすぎ都市伝説」で各話の締めとして採用されたために広く知られています。「やりすぎ都市伝説」は派生元の「やりすぎコージー」が終了した後も放送されており、いかに都市伝説の人気が高いかがわかります。

⊗9・11陰謀論／アポロ月面着陸虚構説／関暁夫／フェイクニュース／ポスト・トゥルース

第二次都市伝説ブームの問題は、都市伝説が「女子高生や子どもたちの間で広まった噂話」という範囲を超え、陰謀論も含むようになったことです。

特に関暁夫は、『関暁夫の都市伝説』シリーズの当初から9・11陰謀論[1]やアポロ月面着陸虚構説[2]を含んでおり、7冊目の『Mr.都市伝説・関暁夫の都市伝説7 ゾルタクスゼイアンの卵たちへ』ではバシャールという宇宙意識とのチャネリングで知られるダリル・アンカとの対談や爬虫類型宇宙人陰謀論にも登場するシュメール文明への言及、人類と宇宙人とのハーフ「ヒューメイリアン」、ケネディ暗殺事件の真相といった話を「都市伝説」として取り上げており、その内容のほとんどが陰謀論になっていて、かつてのような都市伝説はまったく含まれていません。

さらにテレビ東京で放送された『ウソかホントかわからないやりすぎ都市伝説2020秋スペシャル』では、「お金を軸にした価値軸が大きく崩れ、物質的なものから精神的なものに重きを置く時代へ」「スピリチュアルな時代が来ている」といった主旨の

2001年、ユナイテッド航空175便が
ツインタワー南棟に突入した瞬間。

発言が行われ、これは**ニューエイジとほとんど変わらないもの**です。

かつてであれば書店の隅に置かれ、一部の物好きしか知らなかったような陰謀論が、テレビのゴールデン番組や、カジュアルに手に取られる都市伝説本で流されているのです。

00年代前半に流行した9・11陰謀論やアポロ月面着陸虚構説は、90年代の「宇宙人解剖フィルム」に象徴される「何かが『あった』」というオカルトから、「何かが『嘘だった』」という陰謀論への移行を思わせます。

現在はそこからさらに進み、「自分の思想に合う情報のみ信じる」フェイクニュースやポスト・トゥルースの時代になっています。

さらに、「やりすぎ都市伝説」で都市伝説

を語るのはお笑い芸人であり、オカルト番組に出演していたオカルト専門家よりもさらに大衆的なうえ、「信じるか信じないかはあなた次第」と締められるために肯定派と否定派の論争もありません。ここでも**スピリチュアルと同様のカジュアル化**が見られます。

かつて都市伝説として広く流布した9・11陰謀論も、主流メディアで聞くことはほとんどなくなりました。しかしこの陰謀論は、米国同時多発テロ事件から20年経った現在も影響力を持ち続けています。Qアノン陰謀論を支持する人物が「9・11の真実」と称して陰謀論を投稿しているのは今でも見られる光景です。

ちなみに、反ワクチン運動で知られる国民主権党で活動していた人物は「9・11をきっかけにして『目覚めた』」と言っていました。

「信じるか信じないかはあなた次第」と進んできた都市伝説ブームは、実は反ワクチンや新型コロナ陰謀論に目覚めさせる毒が入った「レッド・ピル」だったのではないでしょうか。

1　2001年9月11日に起こった米国同時多発テロ事件に関する陰謀論。「ビルの崩壊は飛行機の激突によるものではなく何者かの爆破によるもの」「ペンタゴンに突入したのは航空機ではなく巡航ミサイル」と言われ、何者かによる陰謀が主張される。「ビルの崩壊は爆破によるもの」については「あの規模の爆破解体なら大規模な爆発音が発生し、周囲の数万人から証言が出るはずだが、ビルの近くにいた人物からしか出ていない（素人が爆発音とビル崩壊の轟音を聞き分けるのは難しい）」「ペンタゴンに突入したのは巡航ミサイル」については「根拠とされるのは『ペンタゴンに空いた穴が航空機の左右幅より狭い』というものだが、これは飛行機の翼の強度が弱く、建物を破壊できなかったため」という反論が存在する。「政府が米国同時多発テロに関する秘密を隠している」という考え方は事件後も長年根強い人気を保っており、2016年に米国カリフォルニア州のチャップマン大学によって行われた「どのような情報を政府が隠蔽していると信じているか？」という調査では、対象者の54・3％が支持しており1位だった（2位はジョン・F・ケネディ暗殺で49・6％、3位は宇宙人との遭遇で42・6％）。

2

「アメリカ航空宇宙局（NASA）による月への有人飛行計画、アポロ計画は捏造であり、公開された画像や動画は地球で撮影されたものである」という陰謀論。「空気がないはずなのに星条旗がはためいている」「影の方向がバラバラの画像があり、これは光源が複数あるため」といった疑惑が指摘され、「人類は月へ行っていない」と主張される。しかし、いずれも反証されている（星条旗がはためいていたのは地面へねじ込む時の反動によるもの、影の方向がバラバラに見えるのは遠近法によるもの）。日本ではテレビ朝日系「不思議どっとテレビ。これマジ⁉』にて2002年に特集されたため話題になったが、視聴者から番組内容に偏りがあるという意見が寄せられ、放送倫理・番組向上機構（BPO）から苦情への回答要請が出された。

⊗添加物／無添加／陰謀論者

添加物を強く避ける考え方も陰謀論の周辺で見られるものです。「添加物は悪いものだ」という意識は社会に浸透しており、「無添加」をアピールする食品は珍しくありません。パッケージで強調するのはマーケティング上意味があるからです。また、添加物の危険性を訴える書籍は数多く出版されており、ベストセラーになったものもあります。

しかし、こうした書籍では毒性が起こる量と、商品に実際に含まれている量が書かれていないことが多く、**「量の概念を隠蔽《いんぺい》して過剰に危険性を煽っている」という批判**もよく見られます。今さら持ち出すのも気が引けますが、塩や水すら量を間違えると毒になるためです。

さて、こうした本の執筆者の1人が現在は奇妙な主張を繰り返していることをご存じでしょうか。その一部を記載します。

- ●エイズは人工的につくられた生物兵器。
- ●日航123便は米軍機によって撃墜された。
- ●アポロ月面着陸は嘘で、スタジオで撮影されたもの。
- ●9・11は米国政府による自作自演で、ビルには爆弾が仕掛けられていた。
- ●ワクチンは「闇の権力」と巨大製薬産業による病人大量生産システム。
- ●5Gによって脳がハッキングされ洗脳支配される。

完全な陰謀論者と言っていいでしょう。

⊗自然派／大企業／製薬業界／民間療法／大企業陰謀論

添加物の危険を訴えていた人が、なぜ陰謀論者になってしまったのでしょうか。

添加物を強く嫌う人はいわゆる自然派であり、当然ながら人工物やそれを生産する工業、そして大企業を嫌います。添加物批判本で取り上げられていたのも大企業の商品ばかりでした。

この「大企業は悪」という価値観を考えてみると、「大企業は人々に隠れて悪いことをしているのではないか、陰謀を働いているのではないか」という発想と地続きです。

たとえば、「西洋医学を推し進める製薬業界は副作用を隠して薬を売っている」から「製薬業界は売上のために民間療法を弾圧している」、そして「実は売上のために病気を生み出しているのではないか」といった具合です。一見、「良いこと」に見える**添加物忌避が、大企業陰謀論に結びついてしまう**のです。

⊗「洗たくマグちゃん」／洗剤業界／チャネリング／波動／イヤシロチ

2021年4月29日、消費者庁が「洗たくマグちゃん」という製品が景品表示法違反（優良誤認）に当たるとして措置命令を行いました。

「マグちゃん」は布製の袋にマグネシウムの粒が入った製品で、「水道水がアルカリイオン水に変わる」「洗浄力は洗剤と同等」「除菌効果は99％以上」といった効果を謳っていました。ところが業者のデータは小さなビーカーでの実験結果のみで、家庭用洗濯機での効果が確認できませんでした。

これはもちろん優良誤認の一例ですが、興味深かったのはユーザーの反応でした。愛用者の反応を見ると、「洗剤業界の圧力で潰されたのではないか」という（もちろんそんな証拠はありません）投稿が見られ、さらには「三洋電機は洗剤ゼロコースの洗濯機を販売していたが、洗剤業界により問題を起こされ、パナソニックに吸収された」という別の陰謀論的言説が持ち出されていました。

確かに三洋電機がかつて洗剤ゼロコースを持つ洗濯機を販売し、それに対して日本石鹸洗剤工業会（JSDA）から試験結果が公表されたのは事実です。しかしながら実際の試験結果掲載サイトを見てみると、汚れ落ちについては「焼肉のタレや離乳食のカボチャの汚れは落ちるが、肌着を繰り返し着ると皮脂が蓄積される」というもので、単純な否定ではありませんでした。この試験結果では他にも衣料の痛みと色あせや汚れの再付着、洗剤コストについても検証されており、単に「汚れが落ちない」と主張するためだけのものとは考えにくい内容です。

また、多方面に事業を展開していた三洋電機に対して、「洗濯機で失敗したので他社に吸収されるまでに業績が悪化した」というのは、かなりの飛躍があります。この説ではさらに、「後継機の洗剤ゼロコースでは汚れが落ちないよう改悪された」と言われ、口コミサイトの投稿が貼られていました。確かに投稿には「汚れが落ちなくなった」と書かれていたものの、ＪＳＤＡの試験結果に「洗濯物が受ける強い機械力や、電解次《でんかいじ》亜塩素酸《あえんそさん》の発生によって、繊維が傷みやすい」とあったことから洗濯物への刺激を弱めた「改良」だったかもしれませんし、条件を揃えたわけでもない一個人の感想だけでは何とも言えないのが妥当な判断だと思います。

このような陰謀論を辿っていくと、広めたのはチャネリングを行うスピリチュアル系のインフルエンサーで、他にも「波動（物理学ではなくスピリチュアルのほうです）」を支持する代替医療師がいました。

また、マグちゃんはイヤシロチ（→280ページ）の項で触れた「イヤシロチをつくるスプレーや砂」を売っているオンラインショップでも販売されており、スピリチュアル系の人にこういった商品を売るビジネスが存在し、その界隈が陰謀論と相性がいいことがわかります。

環境保護や健康志向は「良いこと」ですが、**過剰な大企業嫌悪からは距離を置いたほうがいい**のではないでしょうか。

デヴィッド・アイクの荒唐無稽さの中のリアリティ

⊗デヴィッド・アイク／ニューエイジ／民間療法／スピリチュアル／環境保護／『シオン賢者の議定書』／陰謀論

陰謀論を見ていると非常によく見る「爬虫類型宇宙人」陰謀論を広めたのが、先にも出てきたデヴィッド・アイクです（↓316ページ）。

彼は最初から陰謀論者だったわけではなく、もともとはプロサッカーチームのゴールキーパーでした。彼の選手生命はリウマチ関節炎で断たれますが、その後は英国の公共放送局、BBCのスポーツキャスターを務めます。

ここまでは元スポーツ選手としては普通のキャリアですが、アイクは税金問題でBBCを退職した後、環境保護を訴える「緑の党」に入党します。これは彼がリウマチ治療の過程で民間療法に目覚め、スピリチュアルな思想や環境保護に深い関心を持つようになっていたためです。

デヴィッド・アイク（1952年ー）。90年代から爬虫類型宇宙人陰謀論を広め、現在も活動中。

本書でここまで書いてきましたが、ここでも環境保護、民間療法がスピリチュアルやニューエイジと繋がっていることがわかります。

緑の党に入党した後のアイクは精神的に不安定になり、霊の声を聞くようになります。

彼は１９９１年、ＢＢＣのインタビュー番組に出演した際に「神の子」を自称し、イギリスが津波と地震によって滅亡すると予言しました。アイクはスピチュアルにおけるチャネラー、あるいはシャーマンのような状態になっていたのです。

このある種の能力と終末的ビジョンは、アイクを常軌を逸した陰謀論に走らせ、94年の『The Robots' Rebellion: The Story of the Spiritual Renaissance』（邦訳版はまだない。直訳すると「ロボットの反乱：霊的再生の物語」といったところか）を皮切りに（この中にユダヤ人差別に長年使われてきた偽書『シオン賢者の議定書』への肯定的な言及が含まれていたため緑の党からは除名）、『大いなる秘密』（邦訳版は２０００年に上下巻として三交社より刊行）、『竜であり蛇であるわれらが神々』（邦訳版は２００７年に上下巻として徳間書店より刊行）、『ムーンマトリックス』（邦訳版は２０１１年よりヒカルランドがシリーズ化）といった著書を発表し、先に見たようにインターネットも活用して支持者を獲得していきました。

『大いなる秘密』も『竜であり蛇であるわれらが神々』も翻訳版で１０００ページ近くある大部の書籍であり、単行本を手に取るとそのボリュームに圧倒されます。

現実離れした陰謀論をこれだけ書き連ねるのにも、何かの才能が必要であると感じさせられます。

⊗金髪碧眼白色人種（ノルディック）／爬虫類型宇宙人（レプタリアン）／グレイ／黒色人種／昆虫型宇宙人／ムー／アトランティス／ナスカの地上絵／ピラミッド／恐竜壁画／シュメール神話／ＤＮＡ／奴隷人種／イルミナティ

それでは、アイクはこれだけの熱量で何を訴えているのでしょうか。

彼は10万年以上にわたる長大な人類史をつくり上げており、それは超古代、地球上に宇宙人が訪れたことから始まります。彼によれば、宇宙人には金髪碧眼《へきがん》白色人種（ノルディック）、爬虫類型宇宙人（レプタリアン）、アーモンド型の目と灰色の肌を保つグレイ、高等な黒色人種や昆虫型宇宙人などがいます。

　地球には超古代から多くの宇宙人が訪れており、ムー（アイクの説ではレムリアと同一視され太平洋上に存在）やアトランティスといった文明も宇宙人によってつくられたものです。アイクはムー文明とアトランティス文明は同時期に存在したといい、そこでは宇宙人が人類を支配していました。現在の大陸に見られる古代遺跡はムーやアトランティスによる植民地だった名残とされ、ナスカの地上絵（飛行機の滑走路のように見える）、エジプトのピラミッド、ペルーの恐竜壁画といった例を挙げながら、これらが宇宙人のテクノロジーによってつくられたものであると主張します。

　この宇宙人の中心となるのが爬虫類型宇宙人です。アイクは、シュメール神話のほとんどの部分が実はムーとアトランティスの歴史を記述したものであり、そこに登場する「アヌンナキ」という神々は地球に降り立った爬虫類型宇宙人を指していると主張します。

　さらにはシュメール神話が旧約聖書の基になったことから、『創世記』に見られる「神の子らが人の娘たちと交わりネフィリム[1]を生んだ」という記述を、「爬虫類型宇宙人が人間と交配した証拠」とします。

聖書に出てくるアダムは爬虫類型宇宙人のＤＮＡを原人のＤＮＡに組み込んでつくった奴隷人種であり、またそれを支配するために、金髪碧眼のノルディック系宇宙人を先祖に持つ人種のＤＮＡとレプタリアンのＤＮＡを交配した「支配種＝レプタリアン・ノルディック」も生み出されたのです。

このため現在の地球にも大別して３つの人間、あるいは宇宙人が存在します。①爬虫類型宇宙人、②爬虫類型宇宙人と人間との混血種、③家畜としてつくられた人間です。

①は異次元（下層四次元世界）にいるため一般の人間には見えませんが、②は混血なので普段は人間と変わらない姿で生活しており、爬虫類型へとシェイプ・シフト（変身）する能力を持っています。②は秘密結社イルミナティ[2]を組織して世界を牛耳っており、③家畜たる人類をコントロールしています。彼らがなぜ人類を管理しているかというと、爬虫類型宇宙人の栄養源が人間の放つ低い波動のエネルギー（恐怖や敵意など）だからです。

⊗「マトリックス」／周波数／スピリチュアル／次元上昇／チャネリング／レッド・ピル

ところでこの、「人類が、エネルギー補充のために真実を知らないまま管理されている」

という設定をどこかで見たことはないでしょうか？

そうです、1999年に公開されたウォシャウスキー兄弟（現：ウォシャウスキー姉妹）監督「マトリックス」です。

彼がどの程度この映画の影響を受けて陰謀論をつくり上げたのかはわかりませんが、2001年に刊行された『竜であり蛇であるわれらが神々』の原題は『Children of the Matrix』で、アイク自身が繰り返しマトリックスを引用しています。

そこで語られるのは、我々が現在知覚できているのは特定の「周波数」に対応した一部の世界だけで、実は同時に異なる周波数の世界が存在しているということです。我々の目に見えない周波数、あるいは次元の世界が存在しており、そこに爬虫類型宇宙人も存在しているというわけです
それでは、我々が現在のコントロールを打破するにはどうしたらいいのでしょうか。

アイクは、人々の「意識を変え」、次元を高めるしかないとしています。我々が爬虫類型宇宙人を超えた次元に到達することで、彼らの支配は終わりを告げるのです。

これもまた、「マトリックス」の主人公ネオと同様の「目覚め」を思わせるとともに、**スピリチュアルで頻繁に見られる「次元上昇」を取り込んでいます。**

他にも、アイクの著作では陰謀論の根拠としてたびたびチャネリングが登場しており、**スピリチュアルと陰謀論を抵抗なく融合**させています。

また、「マトリックス」は陰謀論者の心の琴線に触れる物語のようで（私も大好きですが）、**英語圏では陰謀論に「目覚める」ことが「レッド・ピルを飲む」と表現**されます。ネオがモーフィアスに赤いカプセルと青いカプセルのどちらを飲むか問われるあのシーンです。

⊗芸能人／爬虫類型宇宙人／混血種／新世界秩序

ここまでアイク陰謀論の概要を見てきましたが、彼の説は現在ＳＮＳで見られる陰謀論にかなり影響を与えており、一見荒唐無稽な投稿を読み解くのに役立ちます。

たとえばＳＮＳで陰謀論情報を追いかけていると、芸能人の顔画像をアップロードし、「この顔は爬虫類に似ている。闇の勢力に違いない！」などとやっている人たちがいます。これはアイクの「爬虫類型宇宙人と人間との混血種はシェイプ・シフトすることができる」という陰謀論の影響と考えられるもので、『竜であり蛇であるわれらが神々』には「生放送中に新世界秩序[3]支持のゲストが爬虫類型に変身したことがある」というエピソードが記載されています。

このように芸能人の写真から妄想を膨らませる陰謀論者は多く、爬虫類型宇宙人の他にも顔が似ている芸能人同士を探してきて「実は親子だ」「いやクローン人間だ」とやったり、写真から首元のシワを探してきて「この不自然なシワはゴムマスクの境目で、中身が入れ替わっているゴム人間だ」、片目が腫《は》れぼったくなっている写真を見て「これはクローン人間で、腫れぼったくなっているのは片目にカメラが埋め込まれているからだ」など、荒唐無稽な投稿が無数にあります（これにはニューエイジ系ＵＦＯ陰謀論の影響も窺えます）。

⊗新型コロナワクチン／5G／イルミナティ／マイクロチップ／Qアノン

新型コロナワクチン関連で広まった陰謀論では、「ワクチンにはナノチップが含まれており、５Ｇと繋がってしまいコントロールされる」というものがありました。

陰謀論を信じていない人にとっては、なぜこんなことを言っているのか理解できないものですが、実は「イルミナティがマイクロチップを人々に埋め込んで精神や感情をコントロールしようとしている。マイクロチップは無線接続することが可能である」という主張もアイクの著書に見られるものです。

これはさらにＵＦＯ陰謀論で取り上げたベネウィッツ（↓３２５ページ）の「ベータ報告」

にもほぼ同じ内容が含まれており、もともと陰謀論者が慣れ親しんでいたマイクロチップ陰謀論が、新型コロナワクチンに適用されていることがわかります。

また、「悪の勢力が人々を誘拐・殺害してアドレノクロムを抽出している」というQアノンで見られる陰謀論もアイクの著書にほぼ同じことが書かれており、私は**これが直接的な源流である**と考えています。

外部者からすれば突拍子もない説も、陰謀論に親しんできた人からすれば「界隈では昔からよく言われてきた常識」なのです。

陰謀論には陰謀論の歴史と蓄積があるのです。

⊗古代宇宙飛行士説／聖書／シュメール神話／マハーバーラタ

アイクの説に見られるもう1つの特徴が、「古代宇宙飛行士説」をベースにしていることです。

これは「超古代の地球に宇宙人がやってきており、さまざまなテクノロジーを人類に与えた」というもので、それを主張したエーリッヒ・フォン・デニケンやゼカリア・シッチンはオカルト作家として有名です。

最も有名なのはデニケンで、彼は１９６８年に発表した『未来の記憶』（邦訳版は１９６９年に早川書房より刊行）が世界中で爆発的に売れたことで大変よく知られています。この本の中ではエジプトのピラミッドやアンデス山中のティアワナコ遺跡の巨石建造物が古代に飛来した宇宙人のテクノロジーによるものとされ、また聖書やシュメール神話、マハーバーラタ（古代インドの長大な叙事詩でヒンドゥー教の聖典としても知られる）には宇宙人とその乗り物が記されていると主張されています。

デニケンは『未来の記憶』やそれに続く著作のヒットで大金持ちになり、一時はスイスに古代宇宙飛行士説のテーマパークまで建設していました。彼は現在も活動しており、ヒストリーチャンネル「古代の宇宙人」にも出演しています。

そして、アイクが多大な影響を受けているのが『地球年代記』（邦訳版は２０１７年から「シュメールの宇宙から飛来した神々」シリーズとしてヒカルランドより刊行）シリーズで知られるシッチンです。

シッチンは「古代、惑星ニビルから地球にやってきた宇宙人が、奴隷にするため遺伝子操作によって人類を生み出した」と主張しており、アイク陰謀論のベースになっています。

さて、「古代、宇宙人が地球にやってきて文明をつくった」という話をどこかで聞いたことがある方も多いのではないでしょうか。

これは、この説がアニメや映画といったエンタメ作品にも多く取り入れられたためです。それは「2001年宇宙の旅」であり「ふしぎの海のナディア」であり、「飛べ！イサミ」であり、「インディ・ジョーンズ：クリスタル・スカルの王国」であり、「エイリアンシリーズ」（前日譚である「プロメテウス」が古代宇宙飛行士説）です。

古代宇宙飛行士説はオカルトブームやエンタメ作品によって多くの人に知られることとなり、アイクの爬虫類型宇宙人陰謀論の構成要素にもなり、それがインターネットの普及とともに拡散した陰謀論にも取り入れられて、日々SNSでの投稿を生んでいます。

かつて流行したオカルトがさまざまなところで利用され、現在も影響を与え続けているのです。

1　旧約聖書の『創世記』や『民数記』に登場する種族。神の子らと人間の娘の間に生まれた種族であり、巨人とされる。

2　バヴァリア啓明結社、光明会などとも呼ばれる秘密結社。ドイツのインゴルシュタット大学教授だったアダム・ヴァイスハウプトによって1776年に創設された。理性や合理主義によって真実を明らかにし、またそれを一般に広めようとする啓蒙主義に立脚し、キリスト教に代わる思想を打ち立てようとしたものの、キリスト教勢力から異端視されるとともに、政府によって禁圧されたことで10年足らずで消滅した。このように実態としてのイルミナティは短期間しか存在しなかった秘密結社であるものの、現在では陰謀論に組み込まれ、世界を牛耳る闇の勢力として扱われる。

3
「New World Order」、略して「NWO」とも言われる。一般的には「国際平和をはじめとした地球規模の問題を解決するための、国家を超えた枠組み」という意味で使われるが、湾岸戦争時のスピーチでジョージ・H・W・ブッシュが使ったことで広く知られるようになった。その後もビル・クリントンやトニー・ブレアといった各国首脳が使ったことから、「闇の勢力が新しい世界政府の樹立を画策している」として陰謀論者の想像力を刺激した。陰謀論の世界では「一部のエリートによって世界統一政府が樹立され、強力な思想統制や行動制御が行われる世界」という意味で使われる。

あとがき

自然派とスピリチュアルとマルチ商法と陰謀論を繋ぐもの

スピリチュアルな潮流を辿る旅がようやく終わりました。

本書を読みながら、普段ほとんど説明されることのないニューエイジやニューソートが実は身近なものの生みの親になっており、現在も影響を与え続けていることを実感いただいたのではないでしょうか。

さらに「一見『いいこと』を言っているように思える」ものを見ても、「これは悪徳商法や疑似科学なのではないか」と一歩立ち止まるアンテナを立てていただけていると著者として幸甚の極みです。

ここまで読んできた皆さんであれば、本書の冒頭で触れた自然派とスピリチュアルとマルチ商法と陰謀論の繋がりも理解できるようになっていることと思います。

自然派とスピリチュアルとマルチ商法はその出自からして近く、さらにスピリチュアルと陰謀論は相性がいいために容易に合体してしまいます。

また発想からいっても、反近代合理主義や反科学技術的な考え方を持つスピリチュアルは自然派と相性がよく、自然派は健康食品や疑似科学と相性がよく、健康食品や疑似科学はマルチ商法と相性がよく、そして陰謀論は大企業を嫌う傾向にある自然派、さらにはエビデンスを重視しない姿勢や、現実的には考えられない理屈で離れたもの同士を繋げてしまう思考回路が共通するためにスピリチュアルとも相性がいいのです。

これまで、何となく繋がっていそうな感じを抱いてもやもやとしていた方の整理に役立てばと願います。


潮流を辿りながら時々厳しめのコメントをしてしまいましたが、自然派やスピリチュアル自体を否定はしません。

私は理工系出身ですが、科学では対応できない問題が存在することは重々承知しているつもりです。

たとえば、あなたが身体的なコンプレックスを持っているとしましょう。そこで、「なぜ、自分はこのような身体に生まれてきたのか?」という理由を科学に求めても答えは得られません。あなたの身体の設計図はＤＮＡに書かれていますが、「あなた」という存在が、なぜそのＤＮＡを持って生まれてきたのかは、いくら物質を調べてもわからないからです。スピリチュアルでは、ここに前世や試練という概念を導入することで理屈を付けることができます。これで前向きになれる方もいるでしょう。

しかし、スピリチュアルや自己啓発で言われる「一見良さそうなこと」は、少し考えると危険な考え方になっていることがあるので、少し立ち止まってみたほうがいいと思うのです。

たとえば、スピリチュアルには「子どもが親を選んで生まれてくる」という説があります。これはひと目見ただけでは「いい話」に見えます。

ところが、親に虐待されている子どもにとっては、「自ら虐待するような親を選んで生まれてきた」ことになり、これでは自業自得と言っているようなものです。

引き寄せも同様に、「うまくいかないのは環境ではなく、あなたが１００％悪いから」と悪徳商法を正当化する理屈にも使えてしまいます。

このように悪用されやすい理屈や、安全に見えるものの少し掘ると怪しいところに繋がっている言葉を、本書ではスピリチュアルな潮流を辿りながらできる限り取り上げたつもりです。

本書を著すチャンスがやってきたのは私がＳＮＳやYouTubeに悪徳商法や疑似科学についての記事を書いていたからですが、この活動を始めたきっかけは、私自身が「会員を自己啓発セミナーや集団生活で洗脳して月15万円上納させる」名前のない悪徳商法集団から勧誘されたことでした。

幸い勧誘されただけで入会はせずに済んだのですが、パーティー会場として使われていたお店について検索したところ、関連キーワードに「勧誘」と表示され、怪しいと思って調査を続けた結果（当時はウェブ上にあまり情報がなく、夜な夜な検索していました）、元会員の方と接触することに成功し、「あれは勧誘用の店で、オーナーから従業員、常連まですべて構成員です」と言われたときには背筋が凍ったものです。

そして、気になったので私を勧誘していた相手を呼び出して質問をぶつけたのですが、印象的だったのはその相手が「自己啓発セミナーが過去に社会問題化しており、講師から口外しないよう注意されるセミナーの内容も随分昔に流出している」ことを知らなかったことです。

そうしたことを断片だけでも知っていれば、自己啓発セミナーを勧められた際に、「これって大丈夫なのか」と立ち止まれたかもしれません。本書がそうした気づきのきっかけになれば幸いです。

2021年9月

雨宮 純

参考文献

⊗第1章

ダイアン・レイク（著）、山北めぐみ（訳）『マンソン・ファミリー：悪魔に捧げたわたしの22カ月』ハーパーコリンズ・ジャパン、２０１９年

エド・サンダース（著）、小鷹信光（訳）『ファミリー（上）：シャロン・テート殺人事件』草思社、２０１７年

エド・サンダース（著）、小鷹信光（訳）『ファミリー（下）：シャロン・テート殺人事件』草思社、２０１７年

エディトリアル・デパートメント『スペクテイター〈48号〉特集：パソコンとヒッピー』幻冬社、２０２１年

岡崎京子『ヘルタースケルター』祥伝社、２００３年

大田俊寛『オウム真理教の精神史：ロマン主義・全体主義・原理主義』春秋社、２０１１年

レイチェル・カーソン（著）、青樹簗一（訳）『沈黙の春』新潮文庫、２０１６年

竹林修一『カウンターカルチャーのアメリカ：希望と失望の１９６０年代　第2版』大学教育出版、２０１９年

畢滔滔『シンプルで地に足のついた生活を選んだヒッピーと呼ばれた若者たちが起こしたソーシャルイノベーション：米国に有機食品流通をつくりだす』白桃書房、２０２０年

〈有機食品の検査認証制度〉農林水産省、閲覧日2021-06-10、https://www.maff.go.jp/j/jas/jas_kikaku/yuuki.html

Albert Hofmann, LSD My Problem Child: Reflections on Sacred Drugs, Mysticism and Science, Multidisciplinary Association for Psychedelic Studies, 2017.

Timothy Leary, Neuropolitique, New Falcon, 2019.

⊗第2章

アン・バンクロフト（著）、吉福伸逸（訳）『20世紀の神秘思想家たち：アイデンティティの探求』（mindbooks）平河出版社、1984年
大田俊寛『現代オカルトの根源：霊性進化論の光と闇』筑摩書房、2013年
小杉英了『シュタイナー入門』筑摩書房、2000年
ルドルフ・シュタイナー（著）、高橋巖（訳）『子どもの教育』（シュタイナー・コレクション）筑摩書房、2003年
吉村正和『心霊の文化史：スピリチュアルな英国近代』河出書房新社、2010年

⊗第3章

ASIOS『増補版　陰謀論はどこまで真実か』文芸社、2021年
カーティス・ピーブルズ（著）、皆神龍太郎（訳）『人類はなぜUFOと遭遇するのか』文藝春秋、2002年
一柳廣孝『オカルトの帝国：1970年代の日本を読む』青弓社、2006年
大田俊寛『オウム真理教の精神史：ロマン主義・全体主義・原理主義』春秋社、2011年
ウォルター・アイザックソン（著）、井口耕二（訳）『スティーブ・ジョブズⅠ』講談社、2011年
ウォルター・アイザックソン（著）、井口耕二（訳）『スティーブ・ジョブズⅡ』講談社、2011年
〈風の時代はまだまだこれから！鏡リュウジの開運占星術【12星座別の運勢】〉VoCE、閲覧日2021-07-25、https://i-voce.jp/feed/633383/
〈真木あかりが解説する、「風の時代」の基本と生き方の心得。〉VOGUE、閲覧日2021-07-25、https://www.vogue.co.jp/lifestyle/article/air-energy-basics
José Argüelles, The Mayan Factor: Path Beyond Technology, Bear & Company, 1987.

⊗第4章

木蔵シャフェ君子『シリコンバレー式頭と心を整えるレッスン：人生が豊かになるマインドフルライフ』講談社、２０１７年

チャディー・メン・タン（著）、柴田裕之（訳）『サーチ・インサイド・ユアセルフ：仕事と人生を飛躍させるグーグルのマインドフルネス実践法』英治出版、２０１６年

ジョン・カバットジン（著）、春木豊（訳）『マインドフルネスストレス低減法』北大路書房、２００７年

勝又清彦『マクロビオティックムーブメント』日本ＣＩ協会、２０１２年

北川嘉野、武藤崇「マインドフルネスの促進困難への対応方法とは何か」『心理臨床科学』、３（１）、41～51ページ、２０１３年

マハリシ総合研究所『新ＴＭ瞑想法がよくわかる本』ダイヤモンド社、１９９９年

仁科まさき『日本と霊気、そしてレイキ』デザインエッグ社、２０１４年

ポール・オフィット（著）、ナカイサヤカ（訳）『代替医療の光と闇：魔法を信じるかい？』地人書館、２０１５年

桜沢如一『ゼン・マクロビオティック：自然の食物による究極の体質改善療法』日本ＣＩ協会、１９９６年

サイモン・シン（著）、エツァート・エルンスト（著）、青木薫（訳）『代替医療解剖』新潮社、２０１３年

〈【デヴィッド・リンチ】瞑想で世界を変えるのが使命！【瞑想の効果／ロングインタビュー（２０１４年）】〉TMwave（一般社団法人マハリシ総合教育研究所運営）、閲覧日 2021-07-07、https://maharishi.or.jp/tm-wave/archives/7648

〈マハリシとビートルズ～超越瞑想で彼らが見つけたもの～〉ヨガジャーナルオンライン、閲覧日 2021-07-07、https://yogajournal.jp/7702

〈瞑想中に起こる「超越の体験」とは？実体験と脳生理の研究【瞑想体験／科学研究】〉TMwave（一般社団法人

マハリシ総合教育研究所運営）、閲覧日 2021-07-07、https://maharishi.or.jp/tm-wave/archives/6764
〈瞑想をすれば幸せになりますか？〉osho.com、閲覧日 2021-07-10、https://www.osho.com/ja/meditation/meditation-tool-kit/questions-about-meditation/will-meditation-help-me-to-be-happy
〈マインドフルネスと超越瞑想（ＴＭ瞑想）のやり方・効果を徹底比較〉TMwave（一般社団法人マハリシ総合教育研究所運営）、閲覧日 2021-07-07、https://maharishi.or.jp/tm-wave/archives/12931
〈ニセ科学「ホメオパシー」の実践が危険な理由〉東洋経済オンライン、閲覧日 2021-07-30、https://toyokeizai.net/articles/-/282404
〈新生児へのビタミンＫ投与をデメリットとみなす「日本おまたぢから協会」代表・立花杏衣加氏〉BLOGOS、閲覧日 2021-07-30、https://blogos.com/article/138411/
〈カイロプラクティックとは〉一般社団法人日本カイロプラクターズ協会、閲覧日 2021-06-17、https://jac-chiro.org/aboutchiro/
〈〔連載〕続　アメリカ医療の光と影　第２１６回　セラピューティック・タッチ（李啓充）〉医学書院、閲覧日 2021-07-30、https://www.igaku-shoin.co.jp/paper/archive/y2012/PA02967_04
Edzard Ernst (2006), "Mistletoe as a treatment for cancer", BMJ, 2006 Dec 23; 333(7582): 1282–1283.
Ted J. Kaptchuk & David M. Eisenberg(1998), "Chiropractic Origins, Controversies, and Contributions", Archives of internal medicine. 1998;158(20):2215-2224
〈D.D. Palmer's Religion of Chiropractic〉Chiro.org, 閲覧日 2021-06-17, https://chiro.org/Plus/History/Persons/PalmerDD/PalmerDD's_Religion-of-Chiro.pdf
〈IN FULL Mike Love interview〉MayoNews, 閲覧日 2021-07-07, https://www.mayonews.ie/index.php?option=com_content&view=article&id=9400:in-full-mike-love-interview&catid=52:going-out&Itemid=146
〈Katie May, Playboy model, died due to injury from chiropractor visit: Report〉The Washington Times, 閲覧日 2021-09-02, https://www.washingtontimes.com/news/2016/oct/19/katie-may-playboy-model-died-due-injury-chiropract/

⊗第5章

バーバラ・エーレンライク（著）、中島由華（訳）『ポジティブ病の国、アメリカ』河出書房新社、2010年

マーチン・A・ラーソン（著）、高橋和夫・木村清次・鳥田恵・井出啓一・越智洋（訳）『ニューソート：その系譜と現代的意義』日本教文社、1990年

ノーマン・ヴィンセント・ピール（著）、月沢李歌子（訳）『【新訳】積極的考え方の力：成功と幸福を手にする17の原則』ダイヤモンド社、2012年

ロンダ・バーン（著）、山川紘矢・山川亜希子・佐野美代子（訳）『ザ・シークレット』角川書店、2007年

斎藤貴男『カルト資本主義』文藝春秋、2000年

〈トランプが心酔した「自己啓発の元祖」そのあまりに単純な思想〉現代ビジネス、閲覧日 2021-06-26、https://gendai.ismedia.jp/articles/-/50698

〈The Untold Story of Napoleon Hill, the Greatest Self-Help Scammer of All Time〉GIZMODO, 閲覧日 2021-06-26, https://gizmodo.com/the-untold-story-of-napoleon-hill-the-greatest-self-he-1789385645

⊗第6章

福本博文『心をあやつる男たち』文藝春秋、1993年

ジョセフ・オコナー、アンドレア・ラゲス（著）、杉井要一郎（訳）『コーチングのすべて：その成り立ち・流派・理論から実践の指針まで』英治出版、2012年

木村正徳「グループ・アプローチとその実際的研究：キャリア教育への実践から」『和歌山県教育センター学びの丘研究紀要（2008）―8』

小池靖『セラピー文化の社会学：ネットワークビジネス・自己啓発・トラウマ』勁草書房、2007年

宮部みゆき『ペテロの葬列　上』文藝春秋、2016年

宮部みゆき『ペテロの葬列　下』文藝春秋、２０１６年

二澤雅喜『人格改造！：都市に増殖闇のネットワーク「自己開発セミナー」潜入体験記！』ＪＩＣＣ出版局、１９９０年

二澤雅喜・島田裕巳『新装版　洗脳体験』宝島社、２００９年

Ｔｏｓｈｌ『洗脳　地獄の12年からの生還』講談社、２０１４年

〈千葉県成田市で起こった事件〉ライフスペースを考える会、閲覧日2021-07-01、http://kangaerukai1999.la.coocan.jp/jiken_keii.html

〈コーチングの不都合な真実　それは信念なのか、それとも科学なのか？〉Lightworks BLOG、閲覧日2021-07-28、https://research.lightworks.co.jp/coaching-roots

〈大爆笑、でも本当は怖い！新興宗教代表・高橋弘二が行った記者会見〉エキサイトニュース、閲覧日2021-07-01、https://www.excite.co.jp/news/article/E1475030936356/

〈第１０３回国会　衆議院　商工委員会流通問題小委員会　第1号　昭和60年12月10日〉国会会議録検索システム、閲覧日2021-07-03、https://kokkai.ndl.go.jp/#/detail?minId=110304531X00119851210

〈第75回国会　衆議院　物価問題等に関する特別委員会　第10号　昭和50年5月13日〉国会会議録検索システム、閲覧日2021-07-03、https://kokkai.ndl.go.jp/#/detail?minId=107505063X01019750513

〈はじめに〉ライフスペースを考える会、閲覧日2021-07-01、http://kangaerukai1999.la.coocan.jp/intro.html

〈「考える会」の原点となった裁判〉ライフスペースを考える会、閲覧日2021-07-01、http://kangaerukai1999.la.coocan.jp/sub02.html

〈ライフスペースとは〉ライフスペースを考える会、閲覧日2021-07-01、http://kangaerukai1999.la.coocan.jp/about_ls.html

〈「お金返して！」ＴＯＳＨＩが12年間の本当の思いを激白〉音楽ナタリー、閲覧日2021-07-01、https://natalie.mu/music/news/26477

〈連鎖販売取引〉特定商取引法ガイド、閲覧日2021-07-03、https://www.no-trouble.caa.go.jp/what/multilevelmarketing/
〈「催眠商法」はどのように生まれたのか：日本における自己啓発セミナーの源流〉東洋経済オンライン、閲覧日2021-06-26、https://toyokeizai.net/articles/-/118982

⊗第7章

ブッククラブ回『新しい自分を探す本：精神世界入門ブックガイド500』フットワーク出版、1992年
C＋Fコミュニケーションズ『精神世界マップ』JICC出版局、1980年
ダンテス・ダイジ『ニルヴァーナのプロセスとテクニック』森北出版、1986年
初見健一『ぼくらの昭和オカルト大百科：70年代オカルトブーム再考』大空出版、2012年
原田実『偽書が描いた日本の超古代史』河出書房新社、2018年
伊藤雅之（2011）、「現代ヨーガの系譜：スピリチュアリティ文化との融合に着目して」『宗教研究』、84（4）、417〜418ページ
いとうせいこう・絓秀実・中沢新一『それでも心を癒したい人のための精神世界ブックガイド』太田出版、1995年
加藤有希子『カラーセラピーと高度消費社会の信仰：ニューエイジ、スピリチュアル、自己啓発とは何か？』サンガ、2015年
ライアル・ワトソン（著）、木幡和枝・村田恵子・中野恵津子（訳）『生命潮流：来たるべきものの予感』工作舎、1981年
マーク・シングルトン（著）、喜多千草（訳）『ヨガ・ボディ：ポーズ練習の起源』大隅書店、2014年
本山博『密教ヨーガ：タントラヨーガの本質と秘法』宗教心理出版、1978年
中沢新一『チベットのモーツァルト』講談社、2003年（初版は1983年）
斎藤貴男『カルト資本主義』文藝春秋、2000年

佐々木敦『ニッポンの思想』講談社、２００９年
佐保田鶴治『ヨーガ根本教典』平河出版社、１９８３年
島田裕巳『オウム真理教事件Ⅰ 武装化と教義』トランスビュー、２０１２年
島田裕巳『オウム真理教事件Ⅱ カルトと社会』トランスビュー、２０１２年
島薗進『現代宗教の可能性：オウム真理教と暴力』岩波書店、１９９７年
漆島嗣治『ヨガのすべてがわかる本：知らなかったことがわかる』柑出版社、２００６年
Yogini 編集部『最新版　ヨガが丸ごとわかる本』柑出版社、２０１６年
〈安倍昭恵夫人とスピリチュアルの深いつながり――「五輪イベント」を売り込んだ〝教祖様〟との蜜月関係〉サイゾーウーマン、閲覧日 2021-07-22、https://www.cyzowoman.com/2020/05/post_281593_1.html
〈昭恵夫人と旅行の「ドクタードルフィン」松久正氏は何者か――心屋仁之助氏ら〝スピリチュアルイベント〟参加の過去〉サイゾーウーマン、閲覧日 2021-07-22、https://www.cyzowoman.com/2020/04/post_280031_1.html
〈ダン・ヨガ（ダンワールド =Dahn World）の被害者24人が、アメリカで集団訴訟〉やや日刊カルト新聞、閲覧日 2021-07-24、http://dailycult.blogspot.com/2009/09/dahnwold24.html
〈2005/05/21 グリセリンの結晶〉kikulog、閲覧日 2021-06-30、http://www.cp.cmc.osaka-u.ac.jp/~kikuchi/weblog/200505.html#1116672721
〈楢崎皐月の経歴〉楢崎研究所、閲覧日 2021-07-20、http://www.narasaki-inst.com/narasaki.htm
〈競合誌は呪われて廃刊する⁉：なぜ「ムー」だけになったのか？　オカルト雑誌業界の〝あの〟タブー〉サイゾー、閲覧日 2021-08-01、https://www.premiumcyzo.com/modules/member/2017/03/post_7456/
〈ヨガ教室と偽り「アレフ」入信勧誘　特定商取引法違反疑い、信者の女逮捕〉京都新聞、閲覧日 2021-07-24、https://www.kyoto-np.co.jp/articles/-/561466
〈〈ヨガスタジオ〉霊感商法と女性２人が損害賠償求め提訴〈〉毎日新聞、閲覧日 2021-07-24、https://web.archive.

org/web/20120718232102/http://headlines.yahoo.co.jp/hl?a=20120716-00000004-mai-soci

⊗第８章

別冊宝島３３４『トンデモさんの大逆襲：「科学信仰」の呪いをぶっ飛ばす世紀維新の志士たち』宝島社、１９９７年
江原啓之『スピリチュアルな人生に目覚めるために：心に「人生の地図」を持つ』講談社、２０２０年
船井幸雄・赤池キョウコ『マンガで読む船井幸雄のスピリチュアルな世界』グラフ社、２００５年
堀江宗正『ポップ・スピリチュアリティ：メディア化された宗教性』岩波書店、２０１９年
石井研士『神道はどこへいくか』ぺりかん社、２０１０年
清田益章『発見！パワースポット』太田出版、１９９１年
ポール・オフィット（著）、ナカイサヤカ（訳）『代替医療の光と闇：魔法を信じるかい？』地人書館、２０１５年
左巻健男『水はなんにも知らないよ』ディスカヴァー・トゥエンティワン、２００７年
櫻井義秀『霊と金：スピリチュアルビジネスの構造』新潮社、２００９年
島薗進『スピリチュアリティの興隆：新霊性文化とその周辺』岩波書店、２００７年
高橋直子『オカルト番組はなぜ消えたのか：超能力からスピリチュアルまでのメディア分析』青弓社、２０１９年
山中弘『現代宗教とスピリチュアル・マーケット』弘文堂、２０２０年
〈【２０２０開運】島田秀平が厳選！２０２０年最強の開運スポットはココだ！〉@BAILA、閲覧日 2021-07-23、https://baila.hpplus.jp/34572/1
〈３月11日の地震は、人工地震らしい。〉船井幸雄 .com、閲覧日 2021-07-17、https://www.funaiyukio.com/funa_ima/index.asp?dno=201104004

〈賀正〉船井幸雄.com、閲覧日 2021-07-17、https://www.funaiyukio.com/funa_ima/index.asp?dno=201401001
〈ヒーリングマーケットトップページ〉ヒーリングマーケット、閲覧日 2021-07-21、https://healingmarket.jp/
〈癒しフェア 2020inTOKYO〉癒しフェア、閲覧日 2021-07-21、https://www.a-advice.com/tokyo_2020/
〈癒しフェストップページ〉癒しフェス、閲覧日 2021-07-21、https://iyashifes.com/
〈人類支配者の正体〉船井幸雄.com、閲覧日 2021-07-17、https://www.funaiyukio.com/funa_ima/index.asp?dno=201105001
〈実践の時代だからこそ〉日本スピリチュアリズム協会ウェブサイト、閲覧日 2021-07-18、https://spiritualism.or.jp/spi_purpose/
〈協会の歴史〉日本心霊科学協会、閲覧日 2021-07-18、http://www.shinrei.or.jp/?page_id=434
〈無登録で聖地巡礼、上祐氏設立「ひかりの輪」を捜索　利益数百万円　警視庁公安部〉msn. 産経ニュース、閲覧日 2021-07-23、http://sankei.jp.msn.com/affairs/news/140806/crm14080612040010-n1.htm
〈日本民間放送連盟　放送基準〉日本民間放送連盟、閲覧日 2021-07-18、https://www.j-ba.or.jp/category/broadcasting/jba101032
〈オウム真理教の危険性〉警視庁、閲覧日 2021-07-24、https://www.keishicho.metro.tokyo.jp/kurashi/heion/aum.html
〈「パワースポット」、メディアの仕掛け人たち：精神世界の追求から、恋愛、癒しへと向かった〉東洋経済オンライン、閲覧日 2021-07-23、https://toyokeizai.net/articles/-/199397
〈ひかりの輪の聖地巡り〉ひかりの輪、閲覧日 2021-07-23、http://www.joyu.jp/hikarinowa/pilgrimage/
〈神世界霊感商法事件：「先祖鑑定を…」「ガンは治る…」不安あおられ多額被害〉神奈川新聞、閲覧日 2021-07-22、https://www.kanaloco.jp/news/social/entry-85097.html
〈スピリチュアルのカリスマ・船井幸雄が死の直前にスピを否定⁉︎〉リテラ、閲覧日 2021-07-17、https://lite-ra.com/2014/10/post-548.html
〈要望書〉全国霊感商法対策弁護士連絡会、閲覧日 2021-07-18、https://www.stopreikan.com/kogi_moshiire/

shiryo_20070221.htm

⊗第9章

木澤佐登志（２０２１）「Qアノン、代替現実、ゲーミフィケーション」『現代思想』vol.49-6、pp.22-33、青土社
栗田英彦（２０２１）「革命理論としての陰謀論」『現代思想』vol.49-6、pp.78-87、青土社
横山茂雄『増補　聖別された肉体：オカルト人種論とナチズム』創元社、２０２０年
〈米議会襲撃、白人至上主義者がヴァイキングと北欧神話に傾倒する理由〉RollingStone、閲覧日 :2021-07-11、https://rollingstonejapan.com/articles/detail/35208
〈米議会襲撃、ＦＢＩがこれまでに逮捕した人々〉BBCNEWSJAPAN、閲覧日 2021-07-11、https://www.bbc.com/japanese/features-and-analysis-55671803
〈フェイスブック、陰謀論「Qアノン」関連のアカウントを全面禁止〉BBCNEWSJAPAN、閲覧日 2021-07-11、https://www.bbc.com/japanese/54445602
〈陰謀論の舞台にされた米ピザ店で男発砲　独自捜査しようと〉BBCNEWS JAPAN、閲覧日 2021-07-11、https://www.bbc.com/japanese/38218075
〈【解説】Qアノン陰謀論とは何か、どこから来たのか　米大統領選への影響は〉BBCNEWS JAPAN、閲覧日 2021-07-11、https://www.bbc.com/japanese/features-and-analysis-53929442
〈毛皮とツノのトランプ支持者に、拘留所でオーガニック食品を提供へ「オーガニックでなければ体を壊す」〉ハフィントンポスト、閲覧日 2021-07-12、https://www.huffingtonpost.jp/entry/horned-us-capitol-rioter-organic-food_jp_5ffe8180c5b63642b7003b99
〈なぜQアノン現象は日本でも広がったのか。陰謀論拡散させた人たちに共通するもの〉BUSINESS INSIDER、閲覧日 2021-07-11、https://www.businessinsider.jp/post-228586
〈Qアノンがたった3年で全世界に広まった理由：共同幻想を促進するゲーミフィケーション〉AXION、閲覧

日 2021-07-11、https://www.axion.zone/qanon-the-most-dangerous-conspiracy-theory/
〈トランプ氏支持者が議会乱入　死者４人に、大統領選手続き妨害─米首都に外出禁止令〉JIJI.COM、閲覧日 2021-07-11、https://www.jiji.com/jc/article?k=2021010700171
〈ツイッター、「Qアノン」喧伝のアカウント７万件超を停止〉REUTERS、閲覧日 2021-07-11、https://www.reuters.com/article/usa-election-twitter-qanon-idJPKBN29H0EJ
Ward, Charlotte and Voas, David (2011) 'The Emergence of Conspirituality', Journal of Contemporary Religion, 26(1): 103-121.
〈California's yoga, wellness and spirituality community has a QAnon problem〉Los Angeles Times、閲覧日 2021-07-13, https://www.latimes.com/california/story/2021-06-23/covid-adds-to-california-yoga-wellness-qanon-problem
〈'Conspirituality' — the overlap between the New Age and conspiracy beliefs〉Jules Evans medium、閲覧日 2021-07-13, https://julesevans.medium.com/conspirituality-the-overlap-between-the-new-age-and-conspiracy-beliefs-c0305eb92185
〈David Wilcock and Corey Goode Hail Trump as Hero Purging Evil Satanic Freemason Liberal Democrats〉Jason Colavito BLOG、閲覧日 2021-07-14, https://www.jasoncolavito.com/blog/david-wilcock-and-corey-goode-hail-trump-as-hero-purging-evil-satanic-freemason-liberal-democrats
〈QAnon's Unexpected Roots in New Age Spirituality〉The Wasshington Post Magazine、閲覧日 2021-07-13, https://www.washingtonpost.com/magazine/2021/03/29/qanon-new-age-spirituality/

⊗第10章

カーティス・ピーブルズ（著）、皆神龍太郎（訳）『人類はなぜＵＦＯと遭遇するのか』文藝春秋、２００２年
木原善彦『ＵＦＯとポストモダン』平凡社、２００６年
松永和紀『メディア・バイアス：あやしい健康情報とニセ科学』光文社、２００７年
ピーター・ブルックスミス（著）、大倉順二（訳）『政府ファイル ＵＦＯ全事件：機密文書が明かす「空飛ぶ円盤」50年史』並木書房、１９９８年

関暁夫『ハローバイバイ関暁夫の都市伝説：信じるか信じないかはあなた次第…。』竹書房、２００６年
関暁夫『Mr.都市伝説・関暁夫の都市伝説７：ゾルタクスゼイアンの卵たちへ』竹書房、２０１９年
〈「実質的にはただの水洗い」洗たくマグちゃんは無意味だと言える〝科学的な理由〟〉プレジデントオンライン、閲覧日 2021-07-25、https://president.jp/articles/-/46443
〈株式会社宮本製作所に対する景品表示法に基づく措置命令について〉消費者庁、閲覧日 2021-07-25、https://www.caa.go.jp/notice/entry/023999/
〈過去配給収入上位作品（配給収入10億円以上番組）〉一般社団法人日本映画製作者連盟、閲覧日 2021-07-25、http://www.eiren.org/toukei/1995.html
〈「口裂け女」から「きさらぎ駅」まで—都市伝説の変容から振り返る昭和・平成の日本社会〉nippon.com、閲覧日 2021-07-25、https://www.nippon.com/ja/japan-topics/g00789
〈「洗剤ゼロコース付き洗濯機」に関する試験結果について〉日本石鹸洗剤工業会、閲覧日 2021-07-25、https://jsda.org/w/01_katud/2_54_2.htm
〈「洗たくマグちゃん」根拠なし　消費者庁が再発防止命令〉日本経済新聞、閲覧日 2021-07-25、https://www.nikkei.com/article/DGXZQOUE2791W0X20C21A4000000/
〈「ＳＮＳやリモートで、反国家思想は絶対にしゃべるなよ。情報全部取られてるから」〝Mr.都市伝説〟関暁夫インタビュー：やりすぎ都市伝説〉テレ東プラス、閲覧日 2021-07-25、https://www.tv-tokyo.co.jp/plus/entertainment/entry/2020/022464.html
〈「地球表面上から人間をなくすしかもう手段はない」〝Mr.都市伝説〟関暁夫が語る、逆境の先に待つ世界：やりすぎ都市伝説〉テレ東プラス、閲覧日 2021-07-25、https://www.tv-tokyo.co.jp/plus/entertainment/entry/2020/022465.html
〈Ｗポスト紙、民主・藤田議員を酷評　同時多発テロ発言で〉朝日新聞デジタル、閲覧日 2021-07-14、http://www.asahi.com/seikenkotai2009/TKY201003090110.html

〈ワクチンは人体実験、皆殺し作戦…永田町「反ワクチン集会」彼らの主張とは〉日刊ＳＰＡ！、閲覧日2021-07-25、https://nikkan-spa.jp/1763299

〈Coronavirus: David Icke's channel deleted by YouTube〉BBC NEWS、閲覧日2021-07-14, https://www.bbc.com/news/technology-52517797

⊗ Photo credit

P.35 Created by modifying "Redwood City Whole Foods" © Coolcaesar（2005）(Licensed under CC BY-SA 3.0）〈https://ja.wikipedia.org/wiki/%E3%83%9B%E3%83%BC%E3%83%AB%E3%83%95%E3%83%BC%E3%82%BA%E3%83%BB%E3%83%9E%E3%83%BC%E3%82%B1%E3%83%83%E3%83%88#/media/%E3%83%9〉〈https://creativecommons.org/licenses/by-sa/3.0/deed.ja〉

P.38 Created by modifying "Albert Hofmann" ©Stepan (28 December 2006) (Licensed under CC BY-SA 2.0 de）〈https://en.wikipedia.org/wiki/Lysergic_acid_diethylamide#/media/File:Albert_Hofmann.jpg〉〈https://creativecommons.org/licenses/by-sa/2.0/de/deed.ja〉

P.41 Created by modifying "John Lennon performing Give Peace a Chance 1969" ©Roy Kerwood (1969) (Licensed under CC BY 2.5)〈https://ja.wikipedia.org/wiki/%E3%83%86%E3%82%A3%E3%83%A2%E3%82%B7%E3%83%BC%E3%83%BB%E3%83%AA%E3%82%A2%E3%83%AA%E3%83%BC#/media/%E3%83%95%E3%82%A1%E3%82%A4%E3%83%AB:John_Lennon_performing_Give_Peace_a_Chance_1969.jpg〉〈https://creativecommons.org/licenses/by/2.5/deed.ja〉

P.43 Created by modifying "Francisco Oracle Cover Vol.1 No.5, January 1967"　Material from the S.F. ORACLE provided courtesy of the Estate of Allen Cohen and Regent Press, publishers of the SAN FRANCISCO ORACLE FACSIMILE EDITION (Digital Version) available at www.regentpress.net.　(January 1967) (Licensed under CC BY-SA 3.0）〈Scan of p.89 of The San Francisco Oracle. The psychedelic newspaper of the Haight-Ashbury (1966-1968). Facsimile edition. (1st ed.), Cohen, Allen (1991), Allen Cohen, ed., Regent Press, ISBN 9780916147112〉〈https://creativecommons.org/licenses/by-sa/3.0/deed.ja〉

P.46 Created by modifying "Nuclear Environmentalist" ©Steve Jurvetson (11 February 2010, 13:06:59) (Licensed under CC BY-SA 2.0) 〈https://www.flickr.com/photos/44124348109@N01/4697184968〉〈https://creativecommons.org/licenses/by-sa/2.0/deed.ja〉

P.79 Created by modifying "Ram Dass" ©Joan Halifax (19 February 2008) (Licensed under CC BY-SA 2.0) 〈https://www.flickr.com/photos/upaya/2280386210/〉〈https://creativecommons.org/licenses/by-sa/2.0/deed.ja〉

P.83 Created by modifying "Steve Jobs Headshot 2010-CROP" ©Matthew Yohe（8June 2010, 07:55 UTC)(CC BY-SA 3.0)〈https://ja.wikipedia.org/wiki/%E3%82%B9%E3%83%86%E3%82%A3%E3%83%BC%E3%83%96%E3%83%BB%E3%82%B8%E3%83%A7%E3%83%96%E3%82%BA#/media/%E3%83%95%E3%82%A1%E3%82%A4%E3%83%AB:Steve_Jobs_Headshot_2010-CROP.jpg〉〈https://creativecommons.org/licenses/by-sa/3.0/deed.ja〉

P.90 Created by modifying "Jonestown entrance" ©Mosedschurte, Jonestown Institute (21 September 2008)(Attribution)〈https://commons.wikimedia.org/wiki/File:Jonestown_entrance.jpg〉

P.103 Created by modifying "N3U0431" ©Narumi Matsuo (29 January 2009)〈Photo taken by Narumi Matsuo in Japan, 2009〉

P.134 Created by modifying "India - Varanasi pharmacy - 0830" ©Jorge Royan(2005)(CC BY-SA 3.0)〈https://ja.wikipedia.org/wiki/%E3%83%9B%E3%83%A1%E3%82%AA%E3%83%91%E3%82%B7%E3%83%BC#/media/%E3%83%95%E3%82%A1%E3%82%A4%E3%83%AB:India_-_Varanasi_pharmacy_-_0830.jpg〉〈https://creativecommons.org/licenses/by-sa/3.0/deed.ja〉

P.286 Created by modifying 〝清正の井戸〟©Criteriaire (25 December 2016)(CC BY-SA 4.0)〈https://commons.wikimedia.org/wiki/File:%E6%B8%85%E6%AD%A3%E3%81%AE%E4%BA%95%E6%88%B8.jpg〉〈https://creativecommons.

org/licenses/by-sa/4.0/deed.ja〉

P.306 Created by modifying "DC Capitol Storming IMG 7965" ©TapTheForwardAssist (6 January 2021, 14:08:56)(CC BY-SA 4.0) 〈https://commons.wikimedia.org/wiki/File:DC_Capitol_Storming_IMG_7965.jpg〉〈https://creativecommons.org/licenses/by-sa/4.0/deed.ja〉

P.308 Created by modifying "Comet Ping Pong Pizzagate 2016 01" ©Farragutful (11 December 2016, 14:31:19) (CC BY-SA 4.0) 〈https://commons.wikimedia.org/wiki/File:Comet_Ping_Pong_Pizzagate_2016_01.jpg〉〈https://creativecommons.org/licenses/by-sa/4.0/deed.ja〉

P.341 Created by modifying "UA Flight 175 hits WTC south tower 9-11 edit" ©Robert J. Fisch(11 September 2001)(CC BY-SA 2.0) 〈https://commons.wikimedia.org/wiki/File:UA_Flight_175_hits_WTC_south_tower_9-11.jpeg〉〈https://creativecommons.org/licenses/by-sa/2.0/deed.ja〉

P.350 Created by modifying "David Icke by Stef (cropped)" ©Stefano Maffei (8 September 2008, 10:22)(CC BY 2.0) 〈https://commons.wikimedia.org/wiki/File:David_Icke_by_Stefano_Maffei.jpg〉〈https://creativecommons.org/licenses/by/2.0/deed.ja〉

雨宮 純（あまみやじゅん）

オカルト・スピリチュアル・悪徳商法研究家。都内在住の30代。思春期にカルト宗教による事件が多発したことから、新宗教に関心を持つ。オカルト検証好きが高じて（ノストラダムスの大予言が外れたため懐疑派に転向）、理工系大学院を修了し現在に至る。悪質商法、疑似科学、陰謀論、オカルト史などについて調査し、記事や動画で情報発信中。週末はメイクをする女装男子。プレジデントオンラインにて、「事業家集団・環境」の闇に迫る連載を執筆中。本書が初の著書となる。

あなたを陰謀論者にする言葉

２０２１年10月26日　初版発行
２０２１年11月６日　２刷発行

著　者　雨宮　純

発行者　太田　宏
発行所　フォレスト出版株式会社
〒１６２-０８２４
東京都新宿区揚場町２-18 白宝ビル５Ｆ
電　話　０３-５２２９-５７５０（営業）
　　　　０３-５２２９-５７５７（編集）
ＵＲＬ　http://www.forestpub.co.jp
印刷・製本　中央精版印刷株式会社

ISBN 978-4-86680-813-0　Printed in Japan

あなたを
陰謀論者にする言葉